Merci à toi ...

Pour cette

...

D1503162

Les secrets des légumes

révélés par Jérôme Ferrer

Plus de 200 recettes d'à-côtés gourmands

Les Éditions
LA PRESSE

CATALOGAGE AVANT PUBLICATION DE
BIBLIOTHÈQUE ET ARCHIVES NATIONALES DU
QUÉBEC ET BIBLIOTHÈQUE ET ARCHIVES CANADA

Ferrer, Jérôme

Les secrets des légumes : plus de 200 recettes
d'à-côtés gourmands

Comprend un index.

ISBN 978-2-923681-34-4

1. Plats d'accompagnement. 2. Cuisine (Légumes). 3.
Cuisine (Légumes secs). 4. Cuisine (Céréales). I. Titre.

TX740.F47 2010   641.8'1   C2010-940459-9

Éditrice déléguée
Martine Pelletier

Auteur
Jérôme Ferrer

Conception graphique
Ose Design

Infographie
Ose Design

Photo couverture
Ose Design

Les Éditions
LA PRESSE

Président
André Provencher

7, rue Saint-Jacques
Montréal (Québec) H2Y 1K9

Dépôt légal – Bibliothèque et Archives
nationales du Québec
2e trimestre 2010
ISBN 978-2-923681-34-4
Imprimé et relié au Québec

*L'éditeur remercie le gouvernement du Québec pour l'aide
financière accordée à l'édition de cet ouvrage par
l'entremise du Programme de crédit d'impôt pour l'édition
de livres administré par la SODEC.*

*L'éditeur bénéficie du soutien de la Société de
développement des entreprises culturelles (SODEC)
pour son programme d'édition et pour ses activités
de promotion.*

*L'éditeur reconnaît l'aide financière du gouvernement
du Canada, par l'entremise du Programme d'aide
au développement de l'industrie de l'édition (PADIÉ)
pour ses activités d'édition.*

Remerciements

Quelle joie de pouvoir renouveler mes quelques secrets pour une troisième fois avec Les Éditions La Presse.

Merci à André Provencher et à Martine Pelletier de m'offrir cette opportunité.

Un tel ouvrage correspond à de nombreuses heures de travail que je n'aurais certainement pu réaliser sans la participation de deux personnes extraordinaires. Merci à Cécile Kilidjian, la meilleure porte-parole de mon Restaurant Europea et à toi, Maxime Pépin, mon ami et fidèle compagnon de cuisine pour m'avoir tant aidé sans compter.

Merci à vous, gens des médias de m'offrir cette belle vitrine d'expression et de me permettre de partager ma passion auprès des gourmets et gourmands.

À vous, mes chers clients qui faites battre mon cœur à chacune de vos visites.

Merci à toi ma belle Virginie pour m'avoir offert tant de leçons de courage...

Jérôme Ferrer

Table des matières

Introduction

Tout le monde s'entend pour dire que les légumes sont bons pour la santé.

Dans toutes les cuisines du monde, d'ailleurs, les légumes occupent une place d'honneur comme accompagnement d'un plat, sans compter qu'ils peuvent, à eux seuls, faire tout un plat!!!

Les méthodes de culture et de récoltes ont grandement changé avec l'arrivée de nouvelles technologies. On retrouve ainsi toutes sortes de légumes tout au long de l'année, mais leurs saveurs et leurs textures varient beaucoup.

Rien ne peut remplacer le bonheur de découvrir chaque légume, bulbe, champignon, feuille ou autre légumineuse quand ils sont à leur apogée, c'est-à-dire en saison!

Pour vous aider à faire de meilleurs choix, je vous propose un calendrier des saisons qui vous indique pour chaque mois les légumes à mettre en vedette dans votre assiette ainsi qu'un ABC du potager qui donne tous les trucs pour conserver leur fraîcheur et leur saveur.

Ce guide vous fera découvrir de multiples façons d'utiliser un même légume et de le décli-ner en plusieurs combinaisons afin d'offrir un renouveau dans vos habitudes alimentaires.

Plus qu'un simple choix d'accompagnement, cet ouvrage vous aidera à prendre encore plus de plaisir à cuisiner car n'oubliez pas :

Il n'y a pas de bonne cuisine sans bon produit!

Gastronomiquement vôtre,

Jérôme Ferrer

L'ABC
du potager

« L'art de consommer
ses légumes en toute fraîcheur. »

Chaque légume a ses petits caprices...
Voici quelques trucs pour conserver
chacun à son meilleur.

AIL
L'ail a besoin d'air pour se conserver, l'idéal est de suspendre une tresse d'ail dans votre cuisine.

ARTICHAUT
Il est préférable de casser la tige et non de la couper, l'artichaut s'oxydera ainsi moins vite.

ASPERGE
Les asperges se conservent plus longtemps si elles sont placées debout dans un verre rempli à moitié d'eau.

AUBERGINE
Pour la conserver plus longtemps, placer l'aubergine dans un sac de plastique perforé conservé au frigo.

AVOCAT
S'il est mûr, le conserver au frigo. Pour le faire mûrir, le placer dans un sac en papier à température ambiante.

BANANE PLANTAIN
Puisque la banane noircit au contact du froid, la conserver à température ambiante.

BETTE À CARDE
Séparer les feuilles des tiges et conserver dans des sacs différents et perforés au frigo.

BETTERAVE
Garder la tige (2 cm) et la racine, elle se conservera plus longtemps.

BASILIC
Enrouler les tiges dans un papier essuie-tout humide au frigo.

CAROTTE
Les déposer au frigo dans un contenant hermétique avec un papier absorbant car les carottes dégagent beaucoup d'humidité.

CÉLERI BRANCHE
L'envelopper tout simplement d'une pellicule plastique au frigo afin de garder sa fraîcheur.

CÉLERI-RAVE
Puisque le céleri-rave a une forte odeur, le garder dans un contenant hermétique au frigo.

CHÂTAIGNE
Conserver dans un endroit humide et froid, laisser à l'air libre.

CHICORÉE
Bien nettoyer et enlever les feuilles abîmées. Se conserve deux semaines au frigo.

CHOU DE BRUXELLES
Laver les choux de Bruxelles seulement avant utilisation, ils se conserveront plus longtemps.

CHOU DE CHINE
Les choux de Chine se conservent mieux à une température comprise entre 0 et 5 °C; garder dans un sachet ouvert au frigo afin de garder l'humidité.

CHOU-FLEUR
Garder dans un sac de plastique perforé au frigo.

CHOU ROMANESCO
Conserver dans un sac de plastique au frigo.

CHOU-RAVE
Garder les feuilles indépendamment du bulbe, les feuilles se conservent plus longtemps.

CITROUILLE
Une fois entamée, la citrouille ne se conserve qu'une semaine au frigo. Sinon, elle peut se conserver des mois dans un endroit sombre et humide.

CONCOMBRE
Envelopper le concombre dans une pellicule plastique et placer au frigo.

COURGE/COURGE MUSQUÉE
Pour la conserver, la laisser à l'extérieur dans un endroit humide et sombre.

COURGETTE
La conserver dans un sac de plastique perforé au frigo.

COUSCOUS
Le conserver dans un contenant hermétique dans un endroit sec et sombre.

CRESSON
Le cresson est très fragile et difficile à conserver. Il faut l'envelopper dans un papier absorbant humide et le placer dans un sac de plastique perforé rangé dans le bac à légumes du frigo.

DAÏKON
Sans être lavé, le daïkon se conservera un à deux mois au frigo.

ÉCHALOTE
Garder les échalotes à l'extérieur dans un sac en papier afin qu'elles ne germent pas.

ENDIVE
Les endives s'oxydent à la lumière; l'idéal est de les envelopper dans un papier journal au frigo.

ÉPINARDS
Non lavés, ils se conservent plus longtemps. Les placer dans un sac de plastique perforé au frigo.

FENOUIL
Pour une conservation plus longue, séparer les tiges et les plonger dans l'eau fraîche. Le bulbe doit être conservé dans un endroit frais et humide.

FEUILLE DE CHÊNE
Conserver dans un sac de plastique au frigo.

FÈVES NOIRES
À conserver dans un contenant hermétique dans un endroit sec.

FLAGEOLETS
Les conserver dans un pot hermétique dans un endroit frais et sec.

FRISÉE (LAITUE)
Conserver au réfrigérateur dans un sac de plastique perforé.

GINGEMBRE
Garder dans un placard à l'abri de l'humidité.

GOURGANES
Les laisser dans leurs carapaces ou les plonger dans une eau fraîche. Les gourganes aiment le frais.

HARICOTS VERTS ET JAUNES
Non lavés, se conservent dans le bac à légumes du frigo.

HARICOTS BLANCS SECS
Se conservent dans un contenant hermétique dans un endroit sec.

HARICOTS COCO
Les garder dans un pot hermétique dans un endroit sec
et sombre.

LAITUE
La conserver dans un sac de plastique perforé et placer dans
le bac à légumes du frigo.

LENTILLES
Les conserver dans un pot hermétique dans un endroit sec
et sombre.

MÂCHE
La conserver dans un sac de plastique perforé au frigo.

MANIOC
Le placer dans un contenant hermétique avec un papier
absorbant au frigo. Le manioc est très humide.

NAVET
Il se conserve non lavé dans un sac perforé au frigo.

OIGNON
Plus un oignon est humide, moins il se conservera.
Il est important de le garder dans un endroit sec.

OLIVES
Les olives nécessitent une salaison et une cuisson pour
leur conservation et leur consommation.

ORGE
Le conserver dans un contenant hermétique dans un endroit
sec et sombre.

ORTIES
Les conserver dans un sac perforé au frigo.

OSEILLE
L'envelopper dans un papier absorbant humide puis placer
dans un sac de plastique au frigo.

PAK CHOÏ
Le conserver dans un sac de plastique au frigo.

PANAIS
Se conserve dans le bac à légumes du frigo.

PATATE DOUCE
Elles se conserve dans un sac de papier à l'air ambiant.
Ainsi, la transformation du sucre qui contient de l'amidon
ne se fait pas, ce qui altérerait le goût.

PÂTISSON
Puisque sa peau et plus mince que la courgette, le pâtisson
se garde moins longtemps. Le garder dans un sac de
plastique perforé au frigo.

PERSIL
L'enrouler dans un papier absorbant humide et garder
au frigo.

PETITS POIS
Les garder dans un contenant hermétique dans un coin
sombre au frigo.

PISSENLIT
Conserver dans un verre rempli à moitié d'eau puis conserver
au frigo.

POIREAU
Le poireau se garde à une température proche du point
de congélation. Plonger le poireau dans un contenant d'eau
conservé au frigo.

POIS CASSÉS/POIS CHICHES
Les conserver dans un contenant hermétique et dans un
endroit sec et à l'ombre.

POIVRON
Le poivron se conserve dans un endroit humide à l'air ambiant
ou dans un placard.

POMME DE TERRE
Le pommes de terre se gardent à l'extérieur, l'humidité les
fera germer.

POTIRON
Il se conserve dans un endroit frais et sec car c'est un légume
qui a passé la plupart de sa maturité dans la terre.

POLENTA
Elle se conserve dans un contenant hermétique dans un placard.

QUINOA
Le conserver dans un contenant hermétique dans un endroit sec.

RADIS NOIR
Il se conserve dans un récipient d'eau au frigo.

RACINE DE PERSIL
Elle se conserve à l'extérieur dans un endroit sec et frais, éviter le frigo car elle ramollirait rapidement.

RAPINI
Se conserve non lavé dans un sac de plastique perforé au frigo.

ROQUETTE/ROMAINE
Placer dans un sac de plastique perforé dans le bac à légumes du frigo.

RIZ
Le conserver dans un contenant hermétique et dans un endroit sec.

SALSIFIS
Ils se conservent dans un sac de plastique perforé, ou un récipient d'eau où la racine sera complètement immergée placé au frigo.

SALICORNE
Elle se garde dans un papier absorbant humide placé dans un contenant hermétique au frigo.

TARO
Il se conserve à l'extérieur comme les pommes de terre.

TOMATE
Les tomates se gardent dans un sac en papier au frigo.

TOPINAMBOUR
Se garde dans le bac à légumes du frigo.

TRUFFE
Pour la conserver un maximum de temps, chaque truffe doit être enveloppée dans un papier d'aluminium et placée au congélateur.

Calendrier des saisons

Quand déguster les légumes
à leur meilleur?

Un petit calendrier tout simple
pour vous le rappeler!

Des produits frais, frais à placer
dans votre assiette tous les mois.

JANVIER

Avocat, banane plantain, carotte, céleri-rave, châtaigne,
chou de Chine, citrouille, courge musquée, endive, laitue
frisée, mâche, oignon, olives, patate douce, poivron,
pomme de terre, salsifis, topinambour, truffe.

FÉVRIER

Avocat, carotte, céleri-rave, châtaigne, chou de Chine,
citrouille, courge musquée, endive, mâche, oignon,
patate douce, pissenlit, poireau, pomme de terre,
salsifis, topinambour, truffe.

MARS

Avocat, carotte, céleri-rave, chou vert, chou-rave, endive,
oignon, ortie, patate douce, pissenlit, poireau, pomme
de terre, salsifis.

AVRIL

Ail, asperge blanche, avocat, bette à carde, carotte,
câpre, chou vert, chou-rave, daïkon, épinard, flageolet,
gingembre, laitue, oignon, ortie, patate douce, pissenlit,
pomme de terre.

MAI

Ail, asperge blanche et verte, aubergine, avocat, bette
à carde, betterave, carotte, câpre, chou vert, chou
de Chine, chou-fleur, chou-rave, concombre, daïkon,
épinard, fenouil, flageolet, gingembre, laitue, oignon,
ortie, oseille, patate douce, pissenlit, pomme de terre,
tête de violon, tomate.

JUIN

Ail, artichaut, asperge blanche, asperge verte, aubergine, avocat, bette à carde, brocoli, basilic, carotte, câpre, céleri branche, chicorée, chou vert, chou de Chine, chou-fleur, chou romanesco, chou-rave, concombre, courgette, cresson, daïkon, échalote, épinard, fenouil, gourgane, flageolet, fleur de courgette, gingembre, haricot vert, haricot jaune, laitue, oignon, ortie, oseille, patate douce, persil, pois cassé, pois, poivron, pomme de terre, roquette, salicorne, tomate.

JUILLET

Ail, artichaut, aubergine, avocat, bette à carde, betterave, brocoli, basilic, carotte, câpre, céleri branche, chicorée, chou vert, chou de Bruxelles, chou de Chine, chou-fleur, chou romanesco, chou-rave, concombre, courgette, cresson, daïkon, échalote, épinard, fenouil, gourgane, flageolet, fleur de courgette, gingembre, haricot vert, haricot jaune, laitue, maïs, navet, oignon, ortie, oseille, pak choï, patate douce, pâtisson, persil, petits pois, pois cassé, poivron, pomme de terre, potiron, roquette, salicorne, tomate.

AOÛT

Ail, artichaut, aubergine, avocat, bette à carde, betterave, brocoli, basilic, carotte, câpre, céleri branche, chicorée, chou vert, chou de Bruxelles, chou de chine, chou-fleur, chou romanesco, chou-rave, concombre, courgette, cresson, échalote, épinard, fenouil, gourgane, flageolet, fleur de courgette, gingembre, haricot vert, haricot jaune, laitue, maïs, navet, oignon, ortie, oseille, pak choï, patate douce, pâtisson, persil, poivron, pomme de terre, potiron, roquette, tomates.

SEPTEMBRE

Artichaut, aubergine, avocat, bette à carde, betterave,
brocoli, carotte, câpre, céleri branche, céleri-rave,
chicorée, chou vert, chou de Bruxelles, chou de Chine,
chou-fleur, chou romanesco, chou-rave, concombre,
citrouille, courge, courge musquée, courgette, échalote,
épinard, fenouil, gingembre, haricot vert, haricot jaune,
laitue, maïs, navet, oignon, olive, ortie, oseille, panais,
patate douce, pâtisson, persil, poivron, pomme de terre,
potiron, roquette, tomate.

OCTOBRE

Avocat, banane plantain, bette à carde, betterave,
brocoli, carotte, céleri branche, céleri-rave, chicorée,
chou vert, chou de Bruxelles, chou de Chine, chou-fleur,
chou romanesco, chou-rave, citrouille, courge, courge
musquée, échalote, épinard, fenouil, laitue, maïs,
oignon, olive oseille, panais, patate douce, persil,
poireau, poivron, roquette, salsifis, tomate, topinambour.

NOVEMBRE

Avocat, banane plantain, carotte, céleri branche,
céleri-rave, châtaigne, chicorée, chou vert, chou de
Bruxelles, chou de Chine, chou-rave, citrouille, courge
musquée, endive, épinard, fenouil, laitue frisée, mâche,
oignon, olive, patate douce, persil, poireau, pomme
de terre, salsifis, topinambour, truffe.

DÉCEMBRE

Avocat, banane plantain, carotte, céleri-rave, châtaigne,
chou de Bruxelles, chou de Chine, citrouille, courge,
courge musquée, endive, laitue frisée, mâche, olive,
panais, patate douce, poireau, pomme de terre, salsifis,
topinambour, truffe.

Icônes et Légendes

L'horloge

 Indique le temps de préparation.

Les toques

Indique le degré de facilité de préparation.

 Simple à exécuter.

 Facile mais à surveiller.

 Demande de l'attention.

Astuces du chef !

Des suggestions de garnitures.

* Des conseils et astuces du chef.

Préparation

 Cuisson   Sans cuisson

Préparation

Trois unités de mesure seulement sont utilisées dans les recettes pour faciliter votre tâche.

• La tasse • La cuillère (à thé ou à soupe) • La pincée •

Table de conversion simplifiée

Un tableau de référence qui vous aidera à faire le calcul de vos mesures pour les aliments liquides et les solides. L'unité de mesure de base est la tasse.

Liquide
(lait, eau, crème)
1 tasse = ¼ de litre ou 250 g
1 cuillère à soupe = 15 ml

Beurre
1 tasse = ¼ de kg ou 250 g
1 cuillère à soupe = 15 g

Sucre
1 tasse = 200 g
1 cuillère à soupe = 15 g

Farine
1 tasse = 100 g
1 cuillère à soupe = 10 g

Riz
1 tasse = 200 g
1 cuillère à soupe = 15 g

Chapelure
1 tasse = 100 g
1 cuillère à soupe = 10 g

Récapitulatif des cuissons

Doux : 75 °C / 150 °F
Doux : 100 °C / 200 °F
Doux : 125 °C / 250 °F

Moyen : 150 °C / 300 °F
Moyen : 175 °C / 350 °F

Chaud : 200 °C / 400 °F
Chaud : 220 °C / 425 °F

Des légumes, encore des légumes

Offrez-vous un renouveau
dans vos habitudes alimentaires.

Les légumes, légumineuses
et herbes fraîches en ordre alphabétique
et en plusieurs déclinaisons.

A

AIL

Ail confit

30 min

1 tête d'ail
2 t. d'huile d'olive
1 branche de thym

PRÉPARATION : Détacher les gousses d'ail de la tête sans retirer la peau. Dans une petite casserole, déposer l'ail et recouvrir d'huile d'olive. Ajouter la branche de thym. Cuire 25 à 30 minutes à feu doux. Utiliser la pointe d'un couteau pour vérifier que l'ail est bien cuit. Laisser reposer à température ambiante puis placer l'ail confit au frigo. Réchauffer au moment de servir.

L'ail confit est un bel accord pour l'agneau, la dinde et les poissons blancs. Excellent aussi mixé dans les purées ou les potages. Cette préparation se conservera facilement 2 à 3 semaines.

* Il existe plusieurs variétés d'ail, le rose, le blanc et même l'ail nouveau, qui n'a pas de germe.

Cœur de laitue aux bonbons d'ail confit

PRÉPARATION : Voir recette page 89.

Purée d'ail

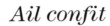

20 min

1 tête d'ail confit
(voir recette page 26)
¹/₃ t. de beurre
¹/₃ t. de farine

1 ½ t. de lait
Sel et poivre

PRÉPARATION : Retirer la peau des gousses d'ail confit avant de les réduire en purée. Dans une casserole, faire fondre le beurre et ajouter la farine. Remuer énergiquement à l'aide d'une cuillère et incorporer le lait. Assaisonner. Verser l'ail mixé et faire réduire la préparation.

Cette purée d'ail sera l'accord idéal pour les rôtis de viande, le gibier ou la volaille. Accompagner d'une poêlée de champignons de saison et arrosé de jus de viande. On peut aussi confectionner des croquettes de purée d'ail enrobées de chapelure puis les frire. Un parfait délice!

* L'ail est excellent pour la santé, mais attention: il est difficile à digérer s'il est mangé cru.

Artichauts à la provençale

6 artichauts
Jus de 1 citron
1 échalote française,
    ciselée
¼ t. d'huile d'olive
1 t. de champignons
    de Paris, tranchés
1 t. d'olives noires,
    dénoyautées et tranchées

2 tomates, en dés
¼ t. de vin blanc
3 c. à soupe de concentré
    de tomates
1 c. à thé d'herbes
    de Provence
Sel et poivre
1 t. d'eau

45 min

PRÉPARATION : Séparer le cœur des artichauts du reste
des feuilles à l'aide d'un petit couteau. Les nettoyer
en retirant le foin qui se trouve à l'intérieur. Rincer les
cœurs et les arroser de jus de citron. Dans une casserole,
faire revenir les cœurs dans un filet d'huile d'olive puis
recouvrir d'eau. Laisser cuire 15 à 20 minutes à feu moyen.
Les retirer une fois presque cuits. Égoutter et déposer
dans un plat allant au four. Dans une poêle, faire revenir
l'échalote dans un filet d'huile d'olive. Incorporer les
champignons et les olives. Ajouter les tomates. Remuer
le tout et déglacer avec le vin blanc. Ajouter le concentré
de tomates et les herbes de Provence. Assaisonner. Verser
l'eau et laisser réduire. Farcir les cœurs d'artichauts
avec la préparation. Cuire 10 à 15 minutes au four à
250 °C/ 475 °F.

*Cette préparation est un vrai régal dégustée seule
en entrée chaude ou comme plat végétarien. Elle fait
également très bon ménage avec tous les poissons.*

* Les fonds d'artichauts nettoyés sont excellents en salade. Les couper
en fines tranches et servir avec des endives, des noix et des tranches
de pomme verte!

Artichauts farcis à la viande

6 artichauts moyens
½ t. de bœuf haché
½ t. de veau haché
3 gousses d'ail, hachées
1 échalote française,
    ciselée
⅓ t. de chapelure
⅓ t. de parmesan

1 c. à soupe de concentré
    de tomates
Jus de ½ citron
3 c. à soupe de persil haché
¼ t. de vin blanc
3 œufs
Sel et poivre

40 min

PRÉPARATION : Couper les tiges des artichauts et les diviser à mi-hauteur des feuilles. Blanchir 10 à 15 minutes dans une casserole d'eau bouillante. Retirer et égoutter. Disposer dans un plat à gratin. Entrouvrir les artichauts. Dans un bol, déposer le bœuf et le veau hachés. Ajouter l'ail et l'échalote puis remuer. Incorporer la chapelure, le parmesan et le concentré de tomates. Verser le jus de citron, ajouter le persil, et le vin blanc. Terminer avec les œufs. Remuer jusqu'à l'obtention d'une préparation homogène. Assaisonner. Farcir le centre des artichauts avec la préparation. Cuire 10 à 15 minutes au four à 200 °C/400 °F environ.

Cette préparation printanière saura séduire vos grillades de viande, mais peut être consommée telle quelle avec une sauce tomate.

* Pour savoir si un artichaut est cuit, tirer sur les feuilles. Si elles se détachent facilement, c'est qu'il est cuit!

Barigoule d'artichauts

5 artichauts
1 filet d'huile d'olive
1 carotte, en rondelles
1 échalote, ciselée
1 t. de champignons
    sanguins ou Red lobster,
    coupés en quartiers
1 t. de poitrine de porc fumé
    en lardons

5 gousses d'ail, écrasées
1 branche de thym
Persil
Jus de 1 citron
1 c. à soupe de vinaigre
    blanc
1 t. de vin blanc
Sel et poivre

45 min

PRÉPARATION : Peler les artichauts. Ne conserver que les cœurs et les tiges pelées. Retirer le foin des cœurs. Diviser en 4 dans le sens de la longueur. Dans une poêle, verser l'huile d'olive et faire revenir les carottes, les artichauts et l'échalote. Ajouter les champignons à la préparation avec les lardons. Incorporer l'ail, le thym et le persil. Déglacer avec le jus de citron et le vinaigre blanc. Verser le vin blanc. Assaisonner. Recouvrir d'eau. Porter à ébullition puis cuire au four 15 à 20 minutes à 175 °C/325 °F. Servir.

Une préparation idéale pour accompagner les calmars grillés.

* Toujours choisir les artichauts fermes. S'ils sont trop ouverts, il y aura beaucoup de foin sur les cœurs et ils seront moins goûteux.

Tapenade câpres et artichauts

RECETTE : Voir page 46.

Tapenade d'artichauts

25 min

3 artichauts
1/3 t. de parmesan
2 gousses d'ail, hachées

Jus de ½ citron
½ t. d'huile d'olive
Sel et poivre

PRÉPARATION : Nettoyer les artichauts et ne conserver que les cœurs. Cuire 5 à 10 minutes dans une casserole d'eau bouillante. Dans un bol, déposer les artichauts cuits coupés en morceaux. Incorporer le parmesan, l'ail et le jus de citron. Mixer le tout au mélangeur à main. Ajouter l'huile d'olive en filet tout en continuant de mixer la préparation jusqu'à l'obtention d'une préparation homogène. Assaisonner. Conserver au frais jusqu'au moment de servir.

> Une préparation savoureuse en trempette avec une feuille d'endive ou sur des croûtons. Elle rehaussera également le poisson de roche.

* Les gros artichauts sont habituellement bouillis et leurs feuilles se consomment accompagnées d'une vinaigrette tandis que les artichauts plus jeunes, « violets », peuvent se consommer crus ou grillés.

ASPERGE

Darioles de pois gourmands et asperges

RECETTE : Voir page 110.

Gratin d'asperges au prosciutto, sauce mousseline

40 min

1 botte d'asperges vertes
3 tranches de prosciutto, coupées en 4
1 filet d'huile d'olive
4 jaunes d'œufs
½ t. d'eau

½ t. de beurre en pommade
Sel et poivre
1 c. à thé de jus de citron
½ t. de crème 35 %, fouettée

PRÉPARATION : Blanchir les asperges dans une casserole d'eau bouillante. Les griller ensuite au barbecue. Enrouler les tranches de prosciutto autour des asperges. Dans un plat à gratin, disposer les asperges. Verser l'huile d'olive. Cuire au four 5 à 8 minutes à 250 °C/475 °F. Dans une grande casserole, déposer les jaunes d'œufs et l'eau. Remuer énergiquement à l'aide d'un fouet afin de faire mousser la préparation comme un sabayon. Incorporer peu à peu le beurre pommade sans cesser de fouetter. Assaisonner. Retirer du feu et ajouter le jus de citron et la crème fouettée. Napper les asperges de sauce chaude. Servir.

Parfait pour accompagner la volaille et les poissons blancs. Les tranches de prosciutto peuvent être remplacées par du saumon fumé, c'est excellent!

* Pour une cuisson parfaite des asperges, les ficeler et les faire pocher dans une casserole d'eau bouillante à la verticale, pointes vers le haut, pendant 3 à 5 minutes (les pointes sont très fragiles). Retirer et tremper immédiatement dans un bol d'eau additionnée de glaçons.

Omelette aux asperges sauvages

15 min

6 à 8 œufs	1 échalote française, ciselée
¾ t. de lait	1 c. à soupe de beurre
Sel et poivre	1 botte d'asperges sauvages

PRÉPARATION : Dans un bol, casser et battre les œufs. Incorporer le lait et assaisonner. Réserver. Dans une poêle, faire revenir l'échalote dans le beurre. Ajouter les asperges crues entières préalablement nettoyées. Cuire puis additionner le mélange d'œufs. Cuire l'omelette environ 2 minutes de chaque côté. Servir.

Une préparation simple et savoureuse qui mettra à l'honneur les premières asperges du printemps. Idéal avec les viandes grillées telles que la bavette de bœuf.

* Les amateurs d'asperges succomberont vite au charme gustatif des asperges sauvages. Elles sont disponibles pendant une très courte période. Il faut surveiller leur arrivée dans les marchés locaux.

Petit flan d'asperges au basilic

35 min

½ botte d'asperges vertes	Sel et poivre
1 échalote française, ciselée	4 œufs
½ t. de feuilles de basilic	½ t. de lait
2 c. à soupe de beurre	¾ t. de crème à cuisson 15 %

PRÉPARATION : Cuire les asperges à la vapeur ou dans une casserole d'eau bouillante. Couper les asperges en morceaux. Dans un bol, mélanger les asperges, l'échalote, le basilic et le beurre. Dans une poêle, faire revenir la préparation. Dans un autre bol, déposer les œufs puis verser le lait et la crème. Fouetter le tout énergiquement et assaisonner. Mélanger les 2 préparations jusqu'à l'obtention d'un mélange homogène. Beurrer des ramequins individuels allant au four. Y verser la préparation. Placer les ramequins dans un plat allant au four contenant de l'eau chaude. Cuire au four au bain-marie 20 à 30 minutes à 200 °C/400 °F.

Ces flans pourront être servis chauds ou froids. Ils seront en bon accord avec les crustacés tels que les scampis et les crevettes.

* Les trois variétés d'asperges les plus communes sont les vertes, les blanches et les violettes. La blanche pousse à l'abri de la lumière.

Risotto d'asperges blanches à l'huile de truffe

1 botte d'asperges blanches	2 c. à soupe de beurre
1 échalote française, ciselée	3 c. à soupe de parmesan râpé
1 filet d'huile d'olive	
1 t. de riz à risotto	Sel et poivre
5 t. de bouillon de légumes	5 c. à soupe d'huile de truffe

40 min

PRÉPARATION : Cuire les asperges à la vapeur ou dans une casserole d'eau bouillante. Une fois cuites, les couper en rondelles et réserver. Dans une casserole, faire revenir l'échalote dans l'huile d'olive. Incorporer le riz. Tout en remuant à l'aide d'une cuillère en bois, commencer à verser petit à petit le bouillon de légumes. Attendre que le riz absorbe chaque volume de bouillon avant d'en rajouter. Cuire à feu moyen en remuant continuellement. Pour une cuisson idéale, le riz devrait conserver un léger croquant. Terminer en ajoutant le beurre et le parmesan. Assaisonner. Ne pas hésiter à rajouter du bouillon afin d'obtenir un risotto crémeux. Incorporer les asperges et, en toute fin, verser l'huile de truffe. Remuer et servir.

Une préparation exquise qui fera bon ménage avec des gros pétoncles grillés ou simplement poêlés.

* Pour plus d'arôme, utiliser une huile de truffe blanche. Les asperges blanches peuvent être cuites à blanc. pour cela, les déposer dans une casserole d'un litre (4 tasses) d'eau environ, y ajouter 1 c. à soupe de farine et 1 c. de vinaigre blanc. Le résultat sera surprenant!

A

Velouté d'asperges au lait mousseux de fromage de chèvre

35 min

1 botte d'asperges vertes
1 c. à soupe de beurre
Sel et poivre
4 t. de lait

2 t. de crème à cuisson
   15 %
3 c. à soupe de chèvre frais
1 pincée de piment
   d'Espelette

PRÉPARATION : Blanchir les asperges en les plongeant 1 à 2 minutes dans une casserole d'eau bouillante. Retirer et plonger immédiatement dans un bol d'eau froide additionée de glaçons. Couper les asperges en gros morceaux. Dans une casserole, faire revenir les asperges dans le beurre. Assaisonner. Verser 3 t. de lait et la crème puis porter à ébullition. Mixer puis filtrer le velouté obtenu. Laisser réduire 10 à 15 minutes à feu doux. Dans une casserole, faire fondre le fromage de chèvre avec 1 t. de lait. Faire mousser à l'aide d'un mélangeur à main ou à l'aide d'un fouet. Dresser le velouté dans une assiette creuse, déposer dessus le mousseux de chèvre. Parfumer avec le piment d'Espelette.

Cette préparation culinaire est à elle-même un velouté exceptionnel, mais déposer au centre de l'assiette un filet de flétan ou de morue rôti au four le transformera en un plat hors du commun!

* Agrémenter les riz et pâtes avec un pesto d'asperges. Mixer les crues avec du jus de citron, du parmesan, des noix de pin, et un peu d'huile d'olive. Absolument à découvrir!!!

AUBERGINE

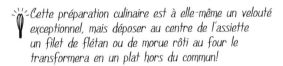

Beignets d'aubergine en tempura

25 min

½ t. de farine
3 jaunes d'œufs
1 t. d'eau glacée
1 bain d'huile végétale pour
   friture
1 aubergine, en rondelles
   fines

1 t. de yogourt nature
¼ t. de menthe, hachée
½ échalote, ciselée
Jus de ½ citron

PRÉPARATION : Dans un bol en verre préalablement placé quelques heures au congélateur, déposer la farine, les jaunes d'œufs et l'eau glacée. Remuer énergiquement à l'aide d'un fouet jusqu'à l'obtention d'une pâte homogène de consistance plus liquide qu'une pâte à crêpes. Dans une grande casserole, faire chauffer l'huile végétale. Tremper les rondelles d'aubergine dans la préparation à tempura et faire frire jusqu'à coloration. Retirer et déposer sur un papier absorbant. Réserver. Mélanger le yogourt, la menthe, l'échalote et le jus de citron. Remuer.

Servir les tranches d'aubergine nappées de sauce. Absolument divin avec la morue.

* Pour réussir le tempura, la préparation doit être glacée et l'huile très chaude. Au Japon, on utilise traditionnellement l'huile de sésame pour cuire les aliments en tempura.

Caviar d'aubergine cumin-noix de coco

35 min

3 aubergines, tranchées en 2 dans le sens de la longueur
¼ t. d'huile d'olive
Sel et poivre
2 gousses d'ail, hachées

Jus de ½ citron
1 c. à thé de cumin
1 c. à soupe de noix de coco

PRÉPARATION : Pratiquer sur chaque moitié d'aubergine quelques entailles en quadrillage avec la pointe d'un couteau. Disposer sur une plaque à cuisson et verser un filet d'huile d'olive sur les aubergines. Assaisonner. Cuire au four 20 minutes à 200 °C/400 °F. Une fois les aubergines cuites, les évider à l'aide d'une cuillère. Déposer la chair dans un bol. Incorporer l'ail, le jus de citron et le cumin. Assaisonner. Ajouter la noix de coco et remuer. Verser le restant de l'huile d'olive en filets tout en brassant afin de faire monter la préparation. Conserver au frais avant de servir.

La préparation refroidie accompagne merveilleusement les crudités. On peut aussi servir la préparation réchauffée avec un carré d'agneau.

* Pour éliminer le goût amer de l'aubergine, la couper en 2, saupoudrer chacune des moitiés de gros sel. Laisser dégorger 5 à 10 minutes. Rincer puis suivre les étapes de la recette.

Moussaka végétarienne

2 aubergines, tranchées
en 2 dans le sens
de la longueur
¼ t. d'huile d'olive
½ oignon, haché
2 t. de tomates concassées
½ t. de farine
½ tasse de beurre

2 t. de lait
Sel et poivre
1 c. à thé de curcuma
2 courgettes, tranchées
et cuites
1 t. d'épinards, pochés
2 tomates fraîches entières

🕐 45 min

PRÉPARATION : Disposer les aubergines sur une plaque de cuisson. Verser un filet d'huile d'olive. Cuire au four 10 à 15 minutes à 200 °C/400 °F. Dans une poêle, faire revenir l'oignon et les tomates concassées dans l'huile d'olive. Dans une casserole, déposer la farine et le beurre puis remuer avec une spatule, verser peu à peu le volume de lait afin de confectionner une béchamel. Assaisonner. Parfumer avec le curcuma. Déposer au fond d'un plat à gratin un étage de tranches d'aubergines. Recouvrir du mélange d'oignons et de tomates concassées. Couvrir d'un étage de courgettes et d'épinards. Renouveler l'opération sur plusieurs étages. Terminer avec les tomates fraîches. Recouvrir de sauce béchamel. Cuire au four 15 à 20 minutes à 190 °C/375 °F.

Idéale comme accompagnement pour les volailles et pour les pétoncles poêlés.

* *Spécialité grecque, la moussaka est à l'origine composée de viande d'agneau.*

Roulés d'aubergine, tomate, basilic et mozzarella

3 aubergines, tranchées
en 2 dans le sens
de la longueur
¼ t. d'huile d'olive
1 échalote française, ciselée
1 c. à thé d'origan frais,
haché
6 tomates entières

Sel et poivre
Jus de ½ citron
¼ t. de vin blanc
1 t. de feuilles de basilic
2 mozzarella entières
et fraîches, tranchées

🕐 40 min

PRÉPARATION : Déposer les tranches d'aubergine sur une plaque à cuisson ou sur un barbecue, ajouter un filet d'huile d'olive et les cuire aux trois quarts. Dans une poêle, faire revenir l'échalote dans l'huile d'olive. Ajouter l'origan puis les tomates coupées en morceaux. Assaisonner. Déglacer avec le jus de citron et le vin blanc. Dans un plat à gratin, déposer les aubergines préalablement roulées. Les recouvrir du concassé de tomates cuites. Ajouter les feuilles de basilic et recouvrir avec la mozzarella. Cuire au four 10 à 15 minutes à 175 °C/325 °C. Mettre à *broil* pour gratiner.

 Une préparation goûteuse servie avec les pièces de veau.

* *Les fines tranches d'aubergines se conservent 1 à 2 semaines au frais une fois recouvertes d'huile d'olive et sont encore plus savoureuses s'y on y ajoute quelques gouttes de vinaigre blanc.*

Tian de légumes

1 gros oignon, émincé
¼ t. d'huile d'olive
1 pincée d'herbes
   de Provence
2 aubergines, tranchées

2 tomates, tranchées
2 courgettes, en rondelles
Sel et poivre

40 min

PRÉPARATION : Dans une poêle, faire caraméliser l'oignon avec un filet d'huile d'olive. Ajouter les herbes de Provence. Dans un plat à gratin, déposer l'oignon cuit puis une rangée d'aubergines, une autre de tomates et une de courgettes. Répéter l'opération tant qu'il restera des légumes. Verser un filet d'huile d'olive à la surface. Assaisonner. Cuire au four 20 minutes à 175 °C/325 °F.

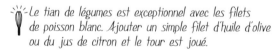 *Le tian de légumes est exceptionnel avec les filets de poisson blanc. Ajouter un simple filet d'huile d'olive ou du jus de citron et le tour est joué.*

* *Pour les gourmets, déposer une portion de tian dans une feuille de papier d'aluminium avec une darne de poisson et quelques gouttes de vin blanc puis cuire au four en papillotes.*

AVOCAT

Bavaroise d'avocats et saumon fumé

2 avocats
Jus de 1 citron
2 c. à soupe de vinaigre
   de xérès

1 ½ t. de crème à cuisson 35 %
3 feuilles de gélatine
Sel et poivre

35 min

PRÉPARATION : Séparer les avocats en 2 et retirer le noyau. Évider les moitiés d'avocat à l'aide d'une cuillère. Déposer la chair dans un bol. Mélanger jusqu'à l'obtention d'une pommade. Verser le jus de citron et le vinaigre de xérès. Faire tremper les feuilles de gélatine dans un bol d'eau froide puis les faire fondre dans ¾ t. de crème préalablement tiédie. Monter le reste de la crème en Chantilly à l'aide d'un fouet. Mélanger délicatement les deux préparations en pliant. Assaisonner. Verser dans des emporte-pièces individuels. Réserver au frais 1 à 2 heures avant de démouler. Envelopper ou recouvrir d'une belle tranche de saumon fumé au moment de servir. Assaisonner.

Cette préparation peut être servie en entrée ou accompagnée de crevettes servies froides.

* *Pour accélérer le mûrissement d'un avocat, il suffit de le recouvrir de papier journal.*

Guacamole

2 avocats
¼ d'oignon, haché
½ c. à thé de chili broyé
2 c. à soupe de coriandre, hachée

Ju de 2 limes
Sel et poivre
¼ t. de tomates fraîches, en dés

15 min

PRÉPARATION : Séparer les avocats en 2 et retirer le noyau. Évider les moitiés d'avocat à l'aide d'une cuillère. Déposer la chair dans un bol. Incorporer l'oignon, le chili broyé et la coriandre. Mélanger le tout jusqu'à l'obtention d'une préparation homogène. Verser le jus de lime et mélanger. Assaisonner. Réserver le guacamole dans un petit bol. Compléter avec les dés de tomate. Conserver au frais avant de consommer.

Parfait pour accompagner les sandwichs et les rôtis de viande froide.

* *Ne pas acheter les avocats dont la peau est tachée. C'est une indication que leur goût est altéré.*

Sauté d'avocat au poulet

25 min

2 avocats
Jus de 1 citron
1 poitrine de poulet, en dés
1 filet d'huile d'olive
1 t. de soya frais
½ t. de champignons de Paris, émincés

1 c. à soupe de beurre
1 c. à soupe de coriandre, hachée
1 c. à soupe de graines de sésame
¼ t. de jus d'orange
Sel et poivre

PRÉPARATION : Séparer les avocats en 2 et retirer le noyau. Couper en tranches et arroser de jus de citron. Dans une poêle, faire revenir la poitrine de poulet dans l'huile d'olive, avec le soya et les champignons. Ajouter le beurre, les tranches d'avocat et la coriandre. Faire caraméliser la préparation avec les graines de sésame. Déglacer avec le jus d'orange. Assaisonner.

 Parfait tel quel pour accompagner le poulet grillé.

* *Les avocats ont un goût prononcé de noix. Ne pas hésiter à les accorder avec des préparations qui en contiennent.*

Soupe glacée aux avocats

15 min

3 avocats
Jus de 1 citron
½ t. de crème 15 %

Sel et poivre
Sauce Tabasco, au goût
1 ½ t. de bouillon de poulet
ou de légumes

PRÉPARATION : Séparer les avocats en 2 et retirer le noyau. Évider les moitiés d'avocat à l'aide d'une cuillère. Déposer la chair dans un bol. Verser le jus de citron ainsi que la crème. Mixer à l'aide d'un mélangeur à main. Assaisonner. Rehausser de quelques gouttes de sauce Tabasco. Ajouter le bouillon de poulet ou de légumes. Mélanger. Conserver au frais jusqu'au moment de servir.

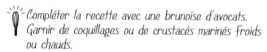 *Compléter la recette avec une brunoise d'avocats. Garnir de coquillages ou de crustacés marinés froids ou chauds.*

* *Il est important d'arroser les avocats de jus de citron une fois ouverts afin d'éviter une oxydation rapide de la chair.*

BANANE PLANTAIN

Frites fantaisies de banane plantain

20 min

1 bain d'huile végétale,
pour friture
1 banane plantain,
en julienne

Sel et poivre
1 pincée de paprika

PRÉPARATION : Dans une casserole, verser l'huile végétale et la chauffer. Plonger la julienne de banane plantain et frire jusqu'à coloration. Retirer et égoutter sur un linge absorbant. Saler et poivrer. Parfumer avec le paprika.

-☀- *Exquis pour accompagner les tartares de viande ou les poissons.*

* *La banane plantain est un légume-fruit. Elle est consommée bouillie ou frite lorsqu'elle est à parfaite maturité. Elle est alors très sucrée.*

BASILIC

Roulé d'épinards aux feuilles de basilic

RECETTE : Voir page 78.

Panacotta de chou-fleur, jus de basilic

RECETTE : Voir page 63.

BETTE À CARDE

Canellonis de bettes à carde à la ricotta

40 min

1 botte de bettes à carde
1 paquet de pâtes à lasagne
1 échalote française, ciselée
2 c. à soupe de beurre
Sel et poivre

1 t. de ricotta
1/3 t. de vin blanc
1/3 t. de parmesan râpé
3 t. de tomates concassées

PRÉPARATION : Séparer les feuilles des tiges des bettes à carde. Cuire les tiges 5 minutes dans une casserole d'eau bouillante. Ajouter les feuilles. Cuire encore 5 minues. Cuire les pâtes à lasagne pendant 5 minutes. Les rincer rapidement à l'eau froide puis les poser sur un linge absorbant. Diviser les pâtes en 2 dans le sens de la largeur. Réserver. Dans une poêle, faire revenir l'échalote dans le beurre. Incorporer les tiges et feuilles de bettes à carde préalablement coupées en morceaux. Assaisonner. Ajouter la ricotta et le vin blanc. Remuer le tout et ajouter la moitié du parmesan. Déposer une partie de la préparation sur chaque morceau de pâte à lasagne et rouler pour confectionner les cannellonis. Disposer les cannellonis dans un plat à gratin et recouvrir de tomates concassées. Saupoudrer du parmesan restant. Cuire au four 15 à 20 minutes à 200 °C/400 °F.

Un accompagnement parfait pour les côtes de porc grillées.

* *La bette à carde ressemble à la rhubarbe par sa forme. Elle fait partie de la famille de la betterave.*

Chaussons de bettes à carde

35 min

2 branches de bettes à carde avec ses feuilles
1 filet d'huile d'olive
1 gousse d'ail, hachée
1 t. de champignons de Paris, émincés
½ t. d'olives noires dénoyautées, hachées grossièrement

2 t. de concentré de tomates
1 c. à soupe d'estragon, haché
Sel et poivre
1 pâte feuilletée
1 jaune d'oeuf battu ou huile végétale pour badigeonner

PRÉPARATION : Cuire les tiges et les feuilles de bettes à carde 5 à 8 minutes dans une casserole d'eau bouillante. Les couper en morceaux. Dans une poêle, les faire revenir dans l'huile d'olive. Ajouter l'ail et les champignons. Incorporer les olives noires et le concentré de tomates. Cuire 10 à 15 minutes à feu moyen. Parfumer avec l'estragon. Assaisonner. Étendre les carrés de pâte feuilletée. Disposer un peu de préparation au centre de chaque carré. Refermer pour former des chaussons. Badigeonner la pâte avec un jaune d'œuf ou tout simplement avec un peu d'huile. Cuire au four 15 à 20 minutes à 175 °C/325 °F. Servir chaud.

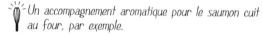 *Un accompagnement aromatique pour le saumon cuit au four, par exemple.*

* *On retrouve souvent sur les étals des marchés trois variétés de bettes à cardes: à tiges blanches, à tiges rouges ou à tiges jaunes.*

Feuilles de bettes à carde sautées au bacon

20 min

Feuilles de 3 branches de bettes à carde
1 échalote française, ciselée
$1/3$ t. de bacon, haché
1 filet d'huile d'olive
1 tomate fraîche, en morceaux

½ t. de vin blanc
1 c. à soupe de concentré de tomates
Sel et poivre
1 pincée de thym

PRÉPARATION : Cuire les feuille de bettes à carde 5 minutes dans une casserole d'eau bouillante. Émincer les feuilles cuites. Dans une poêle, faire revenir l'échalote et le bacon dans l'huile d'olive. Incorporer la tomate et les feuilles de bettes à carde. Déglacer avec le vin blanc. Ajouter le concentré de tomates. Assaisonner. Parfumer avec le thym. Laisser mijoter 10 à 15 minutes à feu moyen.

 Idéal avec les filets de poisson. L'arôme du bacon apporte une touche supplémentaire aux plats.

* *Il est important de bien égoutter la bette à carde une fois cuite car elle a tendance à retenir son eau de cuisson.*

Gratin de bettes à carde au gorgonzola

40 min

3 branches de bettes à carde	Sel et poivre
½ oignon, haché finement	½ t. de farine
½ t. de beurre	1 ½ t. de lait
1 filet d'huile d'olive	½ t. de gorgonzola
	1 t. de gruyère râpé

PRÉPARATION : Cuire les tiges et les feuilles de bettes à carde 5 à 8 minutes dans une casserole d'eau bouillante. Dans une poêle, faire revenir l'oignon et les bettes à carde coupées en morceaux dans une noix de beurre et l'huile d'olive. Assaisonner. Dans une autre casserole, faire fondre le reste du beurre et ajouter la farine, remuer à l'aide d'une cuillère de bois. Verser le lait peu à peu afin de confectionner une béchamel. Faire fondre le gorgonzola dans la béchamel. Dans un plat à gratin, déposer les légumes et verser la béchamel au gorgonzola sur le dessus. Parsemer de gruyère rapé. Cuire au four 15 à 20 minutes à 200 °C/400 °C.

Un accompagnement intéressant pour les jambons cuits.

* *Les feuilles de bette à carde peuvent être consommées comme les feuilles d'épinards.*

Gratin de poireaux et bettes à carde

RECETTE : Voir page 106.

BETTERAVE

Betterave cuite en croûte de sel

2 h

1 kg (2,2 lbs) de gros
   sel gris
1 grosse betterave rouge

PRÉPARATION : Dans un petit plat à gratin, déposer 2 à 3 cm d'épaisseur de sel gris. Poser la betterave entière et crue au centre puis la recouvrir complètement de sel. Vaporiser quelques gouttes d'eau à la surface. Cuire au four environ 2 h à 160 °C/300 °F. Sortir du four. Casser la croûte de sel et retirer la betterave. Retirer la peau à l'aide d'un couteau. Couper la betterave en tranches épaisses. Servir chaud.

Certainement la façon la plus savoureuse de découvrir l'arôme de la betterave. Les viandes de gibier en raffolent.

* *Le gros sel gris contient un haut taux d'humidité. Réserver son utilisation à la cuisson d'aliments en croûte de sel.*

Betteraves marinées en conserve

25 min

3 betteraves
2 t. de sucre
4 t. de vinaigre blanc

¹/₃ t. de gros sel
1 t. d'eau de cuisson
1 pincée de clou de girofle

PRÉPARATION : Cuire les betteraves dans une grande casserole d'eau bouillante. Retirer. Conserver l'eau de cuisson. Laisser refroidir à temperature ambiante. Conserver l'eau de cuisson. Éplucher les betteraves et les diviser en quartiers assez gros (6 ou 8). Dans une casserole, verser le sucre, le vinaigre blanc et le gros sel. Compléter avec l'eau de cuisson des betteraves. Plonger les quartiers de betteraves et ajouter le clou de girofle. Cuire 10 à 15 minutes. Verser les betteraves et le jus dans des petits pots de conserve. Les remplir jusqu'à hauteur. Conserver 2 à 3 semaines avant de consommer.

Utiliser les betteraves marinées comme accompagnement de vos charcuteries.

* *La betterave est plus savoureuse cuite au four plutôt que bouillie ou cuite à la vapeur.*

Caramel de betteraves

25 min

1 betterave moyenne cuite, en dés	½ t. de jus d'orange
3 c. à soupe de miel	1 c. à soupe de vinaigre de vin rouge

PRÉPARATION : Dans une casserole, faire revenir la betterave à feu doux avec le miel. Dès coloration, ajouter le jus d'orange et le vinaigre de vin. Laisser réduire 20 minutes et mixer le tout. Ne pas hésiter à ajouter un peu d'eau si la sauce est trop épaisse

 Excellent avec les pétoncles et les fromages.

* La betterave se conserve plus longtemps avec sa racine.

10 min

Carpaccio de betterave, roquette et jus de citron « Par Maxime »

Jus de 1 citron	Sel et poivre
1 filet d'huile d'olive	1 branche d'estragon, effeuillée
1 betterave jaune, en fines tranches	1 t. de pousses de roquette
½ échalote française, ciselée	

PRÉPARATION : Dans un bol, déposer le jus de citron et l'huile d'olive. Incorporer les fines tranches de betteraves ainsi que l'échalote. Bien mélanger. Dans une poêle, faire revenir la préparation quelques secondes. Retirer et assaisonner. Laisser refroidir à température ambiante. Ajouter l'estragon à la préparation. Remuer. Placer la roquette dans un plat de service et déposer la préparation de betteraves sur le dessus.

 Merveilleux accord avec les poissons gras en ceviche.

* Pour la petite histoire, Maxime est mon second de cuisine à l'Europea. Comme la cuisine se compose à plusieurs j'ai voulu lui faire l'honneur de choisir sa recette dans mon ouvrage. Mais je me dégage de toute responsabilité à l'égard du succès de celle-ci !

30 min

Crème de chiogga

3 betteraves chiogga	Jus de 1 citron
1 t. de tomates concassées	1 t. de crème à cuisson 15 %
1 c. à soupe de concentré de tomates	1 t. de bouillon de légumes
½ t. d'oignon haché	1 c. à soupe de coriandre, hachée
1 filet d'huile d'olive	Sel et poivre

PRÉPARATION : Cuire les betteraves entières dans une casserole d'eau bouillante. Retirer et laisser refroidir à temperature ambiante. Éplucher les betteraves et les couper en morceaux. Dans un bol, déposer les betteraves, les tomates et le concentré de tomates. Dans une poêle, faire revenir l'oignon dans l'huile d'olive et ajouter à la préparation de betteraves. Ajouter le jus de citron et la crème. Mixer le tout. Incorporer le bouillon de légumes et la coriandre. Assaisonner. Placer dans une casserole et porter à ébullition. Servir bien chaud.

 Cette crème donnera du goût aux viandes de gibier.

* *Le bortsch est une soupe à base de betteraves originaire des pays de l'Est à découvrir absolument. La betterave Chiogga est facile à reconnaître puisque sa chair est zébrée. Un pur délice crue ou cuite!*

BOK CHOÏ

Bok choï mijotés à l'anis étoilé

RECETTE : Voir page 98.

BROCOLI

Cappuccino de brocoli et chou-fleur

1 brocoli	Sel et poivre
1 échalote française, ciselée	1 t. de chou-fleur,
1 c. à soupe de beurre	en morceaux
2 t. de bouillon de légumes	½ t. de crème 35 %
2 t. de crème à cuisson 15 %	

35 min

PRÉPARATION : Cuire le brocoli dans une casserole d'eau bouillante. Retirer, égoutter et couper en morceaux. Dans une casserole, faire revenir l'échalote dans le beurre. Ajouter le brocoli. Incorporer le bouillon de légumes et la crème. Assaisonner et laisser réduire. Une fois la préparation cuite, mixer avec un mélangeur à main et filtrer au besoin. Réserver. Faire bouillir le chou-fleur. Le mettre en purée. Monter une Chantilly avec la crème 35 %. Incorporer doucement à la purée de chou-fleur en pliant. Assaisonner. Verser le velouté de brocoli dans de petites tasses et déposer 1 c. à soupe de la préparation de chou-fleur sur le dessus.

 Un bel accord avec la poitrine de poulet ou de dinde.

* *Tout est bon dans le brocoli. Le pied peut être pelé et cuit. C'est délicieux!*

Gratin de brocoli et crème de portobellos

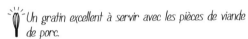

1 brocoli
1/3 oignon, haché
3 champignons portobellos, tranchés
2 c. à soupe de beurre

1/3 t. de vin blanc
2 t. de crème à cuisson 15 %
Sel et poivre
3/4 t. de gruyère râpé

35 min

PRÉPARATION : Cuire le brocoli dans une casserole d'eau bouillante. Retirer, réserver et couper en morceaux. Dans une poêle, faire revenir l'oignon et les champignons dans le beurre. Une fois à coloration, déglacer avec le vin blanc. Ajouter la crème et laisser réduire. Assaisonner. Incorporer le brocoli et déposer le tout dans un plat à gratin. Saupoudrer de gruyère râpé. Cuire au four 20 à 30 minutes à 175 °C/325 °F.

Un gratin excellent à servir avec les pièces de viande de porc.

* Comme le chou-fleur, le brocoli est riche en soufre. Certaines personnes peuvent avoir du mal à le digérer.

Mousseline de brocoli et bulbe de céleri-rave

1 brocoli en morceaux
1/2 céleri-rave, en morceaux
2 c. à soupe d'estragon, haché

2 t. de lait
1 c. à soupe de beurre
Sel et poivre

30 min

PRÉPARATION : Cuire le brocoli dans une casserole d'eau bouillante. Faire de même dans une seconde casserole avec le céleri-rave. Mixer le brocoli et le céleri-rave cuits avec l'estragon. Ajouter le lait. Remuer le mélange en y incorporant le beurre. Assaisonner. Conserver au chaud jusqu'au moment de servir.

Une purée parfaite tant pour les poissons que pour les viandes.

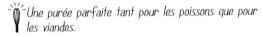

* On peut allonger cette préparation avec un volume d'eau, de jus de citron, d'huile d'olive et de vinaigre de xérès pour obtenir une vinaigrette gourmande aux légumes!

Quiche de brocoli et morue au zeste de citron

1 petit filet de morue
Pâte feuilletée
5 œufs
½ t. de lait
1 t. de crème à cuisson 15 %
1 échalote, ciselée

2 c. à soupe de ciboulette, ciselée
Zeste de 1 citron
Sel et poivre
1 brocoli en bouquets

🕐 35 min

🔥

PRÉPARATION : Faire pocher le filet de morue dans une casserole d'eau bouillante. Retirer et effilocher. Réserver. Disposer le fond de pâte feuilletée dans un moule à tarte et piquer la surface à l'aide de la pointe d'un couteau. Réserver. Dans un bol, déposer les œufs, le lait et la crème. Remuer énergiquement à l'aide d'un fouet. Incorporer l'échalote et la ciboulette ainsi que le zeste de citron. Assaisonner. Cuire le brocoli à la vapeur. Étendre la morue effilochée dans le fond de tarte et ajouter le brocoli. Verser la préparation d'œufs sur le dessus. Cuire au four 30 minutes à 190 °C/375 °F. Servir.

☀️ *Savoureuse telle quelle et déale pour accompagner un filet de morue poché ou tout autre poisson blanc.*

* On peut remplacer le brocoli par le chou romanesco, dont le goût se rapproche de très près de celui du brocoli. Son aspect unique de forme pyramidale en fait un légume de choix pour la présentation.

Soufflé de brocoli et chèvre frais

½ brocoli
½ t. de farine
½ t. de beurre
1 ½ t. de lait
Sel et poivre

¾ t. de fromage de chèvre frais
5 œufs entiers, jaunes et blancs séparés
½ t. de feuilles de basilic

🕐 25 min

🔥

PRÉPARATION : Cuire le brocoli dans une casserole d'eau bouillante ou à la vapeur. Dans une casserole, déposer la farine et le beurre. Remuer avec une cuillère de bois. Verser le lait peu à peu pour confectionner une béchamel. Assaisonner. Ajouter le chèvre frais hors du feu ainsi que les jaunes d'œufs. Mélanger le tout avec une spatule jusqu'à l'obtention d'une préparation homogène. Mixer le brocoli cuit avec les feuilles de basilic et les incorporer à la préparation. À l'aide d'un mélangeur à main, monter les blancs d'œufs en neige avec une pincée de sel. Mélanger avec la béchamel en pliant à l'aide d'une spatule. Beurrer des ramequins individuels. Les remplir avec la préparation. Cuire au four 10 à 15 minutes à 175 °C/325 °F.

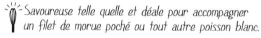

Un accompagnement parfait pour les poissons fins. À essayer pour les occasions spéciales.

* Si la béchamel est trop consistante, ne pas hésiter à rajouter plus de blancs en neige.

CÂPRE

Pommes de terre au four farcies aux câpres et aux échalotes

RECETTE : Voir page 114.

Tapenade câpres et artichauts

30 min

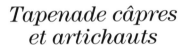

½ t. de câpres
4 fonds d'artichauts
Jus de ½ citron

Sel et poivre
1 filet d'huile d'olive

PRÉPARATION : Déposer dans le bol d'un robot culinaire les câpres préalablement égouttées ainsi que les fonds d'artichauts cuits et nettoyés. Mixer le tout. Ajouter le jus du citron, assaisonner et verser un filet d'huile d'olive. Mixer la préparation en tapenade. Réserver au frais.

Cette tapenade fera ainsi office de garniture si déposée en croûte sur un filet de poisson et également de condiment pour rehausser les plats.

* Les câpres perdent tout leur arôme en séchant, c'est pour cette raison qu'on les conserve dans le vinaigre.

CAROTTE

Civet de petits pois tomatés, carottes et œufs pochés

RECETTE : Voir page 104.

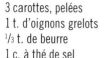

Carottes braisées
aux petits oignons

C

3 carottes, pelées
1 t. d'oignons grelots
⅓ t. de beurre
1 c. à thé de sel

1 c. à soupe de sucre
¼ t. de vin blanc
2 t. de bouillon de légumes

60 min

PRÉPARATION : Dans une poêle, faire revenir les carottes entières ainsi que les oignons grelots épluchés dans le beurre jusqu'à coloration. Ajouter le sel, le sucre et le vin blanc. Porter à ébullition et recouvrir de bouillon de légumes. Placer une feuille de papier parchemin sur le dessus de la poêle. Percer un petit trou au centre pour permettre l'évaporation. Glacer les légumes à blanc. Laisser réduire de moitié. Terminer en cuisant au four 10 à 15 minutes à 175 °C/325 °F.

Servir cette préparation avec les viandes braisées.

* *Pour une cuisson plus rapide, couper les carottes en rondelles avant de cuire.*

Confiture de carottes
citronnée

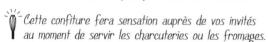

35 min

2 carottes, pelées
1 pomme Golden, pelée

Jus de 1 citron
1 ½ t. de sucre

PRÉPARATION : Râper les carottes et la pomme. Mélanger. Les déposer dans une casserole. Arroser de jus de citron. Incorporer le sucre et cuire 25 à 30 minutes à feu doux. Retirer et verser dans des pots préalablement stérilisés.

Cette confiture fera sensation auprès de vos invités au moment de servir les charcuteries ou les fromages.

**De nombreuses études ont indiqué que consommées régulièrement, les carottes feraient baisser le taux de cholestérol.*

Gratin de panais
et carottes

RECETTE : Voir page 99.

Lentilles aux carottes et curcuma

RECETTE :   Voir page 91.

Poêlée de chou-rave et carottes râpées

RECETTE :   Voir page 64.

Poêlée de maïs aux minicarottes

RECETTE :   Voir page 93.

30 min

Purée de carotte orange-miel

2 carottes, en morceaux	2 c. à soupe de beurre
1 c. à soupe de miel	Sel et poivre
½ t. de jus d'orange	

PRÉPARATION :   Cuire les carottes dans une casserole d'eau bouillante. Retirer et réduire en purée. Réserver. Dans une casserole, verser le miel et caraméliser. Déglacer avec le jus d'orange. Dès ébullition, incorporer le beurre. Mélanger les deux préparations. Assaisonner. Servir chaud.

Intéressant comme accompagnement avec les rôtis de viande.

* La carotte étant naturellement sucrée, l'accord miel/orange sera subtil.

30 min

Velouté de carotte, gingembre et huile de pistache

2 carottes, en rondelles	Sel et poivre
1 ½ t. de lait	1 c. à soupe de beurre
1 ½ t. de crème à cuisson 15%	1 c. à soupe d'huile
½ c. à thé de gingembre	de pistache
frais ou en poudre	

PRÉPARATION : Cuire les carottes dans une casserole d'eau bouillante. Retirer et mixer pour obtenir une pommade. Dans une autre casserole, verser le lait et la crème. Porter à ébullition. Ajouter le gingembre ainsi que la purée de carotte. Laisser mijoter 5 à 10 minutes à feu doux. Assaisonner et incorporer le beurre. Au moment de servir le velouté, verser l'huile de pistache.

Déposer la préparation au centre d'une assiette creuse et ajouter un beau filet de poisson blanc. Un plat à succès garanti.

* Il existe plusieurs variétés de carottes: blanches, oranges et rouges. Elles se trouvent facilement sur le marché. À découvrir!

CÉLERI

Cocotte de céleri branche, champignons café et tomates

20 min

1 échalote française, ciselée	1 t. de champignons café,
1 filet d'huile d'olive	émincés
5 branches de céleri,	¼ t. de vin blanc
émincées	1 gousse d'ail, hachée
(feuilles comprises)	1 t. de tomates concassées
	Sel et poivre

PRÉPARATION : Dans un grand poêlon, faire revenir l'échalote dans l'huile d'olive. Ajouter le céleri et les champignons. Déglacer avec le vin blanc. Ajouter l'ail et les tomates. Recouvrir d'eau et laisser mijoter à feu doux. Assaisonner.

La saveur des branches de céleri rehausse les plats. Cet accompagnement sera parfait avec les viandes grasses, les volailles et les rôtis.

* Le céleri ne contient presque pas de calories. On en dépense plus à le manger qu'il n'en contient!!!!

Gratin de céleri branche en duxelles de champignons

40 min

5 branches de céleri,	¼ t. de vin blanc
en tronçons	2 c. à soupe de concentré
1 échalote française, ciselée	de tomates
1 c. à soupe d'ail haché	Sel et poivre
1 filet d'huile d'olive	1 t. de duxelles de champignons
1 t. de tomates concassées	(voir recette page 54)

PRÉPARATION : Éplucher partiellement le céleri en retirant la première peau. Réserver. Dans une casserole, faire revenir l'échalote et l'ail dans l'huile d'olive puis ajouter les tomates. Déglacer avec le vin blanc. Incorporer le concentré de tomates. Assaisonner. Farcir les tronçons de céleri avec la duxelles de champignons. Dans un plat à gratin, verser la préparation de sauce tomate et déposer les branches de céleri sur le dessus. Cuire au four 20 à 30 minutes à 190 °C/375 °F.

Cette préparation servie en accompagnement de viandes braisées sera un véritable succès.

* On mange plus souvent le céleri cru avec les poissons et cuit avec les viandes.

Julienne de céleri branche et pomme verte

15 min

2 branches de céleri, en julienne
1 pomme verte non épluchée, en julienne

Jus de 1 citron
1 filet d'huile d'olive
Sel et poivre

PRÉPARATION : Dans un bol, déposer les juliennes de céleri et de pomme verte et arroser de jus de citron. Servir soit en salade légèrement assaisonnée, soit juste poêlées 1 à 2 minutes dans l'huile d'olive.

Un accompagnement très goûteux servi chaud ou froid avec les homards, les langoustes ou avec un plat de crabe d'Alaska.

* Ne jamais jeter les feuilles de céleri. Ne pas hésiter à les consommer, elles sont très goûteuses.

Tapenade de céleri branche et olives vertes

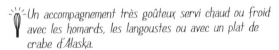

15 min

2 branches de céleri
1 t. d'olives vertes, dénoyautées

1 gousse d'ail, hachée
2 c. à soupe d'huile d'olive
Sel et poivre

PRÉPARATION : Éplucher le céleri pour retirer la première peau. Couper en gros morceaux. Dans un bol, déposer le céleri, les olives et l'ail. Remuer. Verser peu à peu l'huile d'olive dans la préparation en remuant. Assaisonner.

La tapenade sera savoureuse servie avec les viandes froides. Également irrésistible si étalée sur un filet de poisson blanc pour former une croûte de 1 cm d'épaisseur puis cuite au four... Tout simplement divin!

* D'origine méditerranéenne, la tapenade se trouve en plusieurs variétés: anchois, olives, tomates, etc.

Trempette d'épinards et de céleri branche

RECETTE :   Voir page 78.

CÉLERI-RAVE

Crème de céleri-rave et huile de truffe

1 céleri-rave, pelé, en morceaux
4 t. de lait
3 t. de crème à cuisson 15 %

2 c. à soupe d'huile de truffe blanche
3 c. à soupe de ciboulette, finement hachée
Sel et poivre

40 min

PRÉPARATION :   Cuire le céleri-rave dans une grande casserole d'eau bouillante. Retirer et déposer sur un papier absorbant. Dans une autre casserole, verser le lait et la crème. Y incorporer le céleri-rave, porter à ébullition. Mixer la préparation. Filtrer au besoin afin d'obtenir une préparation homogène. Au moment de servir, verser un filet d'huile de truffe blanche et parsemer de ciboulette. Assaisonner.

Excellente consommée comme velouté ou en accompagnement de poissons et de fruits de mer.

* Au moment de l'achat, éviter de prendre un céleri-rave trop gros, celui-ci risque d'être creux.

Milk-shake printanier

½ bulbe de céleri-rave
2 t. de lait
Sel et poivre
4 tomates mûres

1 filet d'huile d'olive
1 laitue pommée
2 t. de crème à cuisson 15 %
4 branches de céleri

35 min

PRÉPARATION : Laver et éplucher le bulbe de céleri-rave. Le couper en petits morceaux. Cuire dans une casserole avec le lait. À l'aide d'un mélangeur en main, mixer le tout. Assaisonner. Réserver. Dans un mélangeur, réduire 3 tomates en jus. Rajouter l'huile d'olive. Saler et poivrer. Réserver. Laver la laitue. Cuire 5 minutes avec la crème dans une casserole. Mixer à l'aide du mélangeur à mai et passer au tamis. Assaisonner. Conserver au frais. Verser les trois préparations par étages distincts dans des verres à cocktail. Couper la tomate restante en dés. Ajouter 1 c. à thé de tomates en dés et une branche de céleri sur le dessus de chaque verre.

Servie très fraîche, cette préparation accompagnera à merveille les salades de fruits de mer.

* Le goût très corsé des légumes racines rehausse la saveur des plats. L'huile de truffe et de noix leur apporte aussi une touche intéressante.

Millefeuille de céleri-rave et courge musquée

40 min

1 t. de lait
1 t. de crème à cuisson 35 %
1 pincée de muscade
3 gousses d'ail, hachées

1 céleri-rave, pelé, tranché finement
½ courge musquée, pelée, tranchée finement
Sel et poivre

PRÉPARATION : Dans une casserole, porter le lait et la crème à ébullition. Incorporer la muscade et l'ail. Retirer et réserver. Dans un plat à gratin, déposer une rangée de céleri-rave, assaisonner, puis une rangée de courge musquée. Assaisonner. Répéter l'opération jusqu'à épuisement des légumes. Verser la préparation de lait et crème sur le dessus. Cuire au four 30 minutes à 180 °C/350 °F.

Idéal avec tous les plats de viande. Un accompagnement au succès garanti dont vos invités parleront longtemps!

* Le céleri-rave, contrairement à ce que l'on pense, n'est pas la racine du céleri branche que l'on connaît bien. C'est un légume à part entière.

Mousseline de brocoli et bulbe de céleri-rave

RECETTE : Voir page 44.

Poêlée de céleri-rave, girolles (chanterelles) et noix de pin

½ céleri-rave, pelé, en cubes
2 échalotes françaises, ciselées
2 t. de girolles
2 c. à soupe de beurre

1 filet d'huile d'olive
Sel et poivre
1 c. à soupe d'estragon, haché
¼ t. de noix de pin torréfiées

30 min

PRÉPARATION : Cuire le céleri-rave dans une casserole d'eau bouillante. Retirer et égoutter. Dans une poêle, faire revenir les échalotes et les girolles dans le beurre. Incorporer le céleri-rave puis cuire jusqu'à coloration dans l'huile d'olive. Assaisonner. Terminer la préparation avec l'estragon et les noix de pin. Servir bien chaud.

 Délicieux avec les civets de viande.

* Le sel de céleri est fait à partir de céleri-rave séché.

Purée de céleri-rave aux copeaux de chorizo

½ bulbe de céleri-rave, pelé et en cubes
3 t. de crème 15 %
2 c. à soupe de beurre
¾ t. de chorizo, tranché finement

Sel et poivre
1 pincée de paprika
1 c. à soupe de ciboulette, hachée

35 min

PRÉPARATION : Cuire le céleri-rave dans une casserole d'eau bouillante. Retirer et égoutter. Dans un bol, déposer le céleri-rave et la crème. Mixer en incorporant le beurre jusqu'à l'obtention d'une purée lisse. Sur une plaque à cuisson, étaler les tranches de chorizo et les faire sécher au four pendant 30 à 45 minutes à 90 °C/200 °F. Ajouter les copeaux de chorizo à la purée. Assaisonner. Parfumer la préparation avec une pincée de paprika et la ciboulette. Servir chaud.

 Une purée très goûteuse qui fera bon ménage avec les grillades de viandes et les rôtis.

* Le céleri-rave s'oxyde rapidement une fois pelé. Le tremper dans une eau froide citronnée pour éviter qu'il noircisse. Une étape incontournable à faire avant de râper le céleri-rave pour confectionner une rémoulade.

CHAMPIGNON

Champignons King, noisettes et citron confit

¹/₃ t. de noisettes, torréfiées
1 c. à soupe de citron confit
Sel et poivre

2 champignons King,
  en tranches épaisses
1 filet d'huile d'olive

PRÉPARATION : Mixer grossièrement les noisettes avec le citron confit. Saler et poivrer. Sur une plaque à gratin, déposer les tranches de champignons et verser le mélange de noisettes sur le dessus. Arroser d'huile d'olive. Cuire au four pendant 5 à 10 minutes à *broil*. Servir bien chaud.

Un accompagnement très goûteux pour les poissons et plats de volailles.

* *Le champignon King est un champignon très ferme. Il est succulent simplement grillé au barbecue.*

Cocotte de céleri branche, champignons café et tomates

RECETTE : Voir page 49.

Compotée de courge musquée et porcinis (cèpes)

RECETTE : Voir page 68.

Duxelles de champignons

2 t. de champignons
  de Paris, hachés
  finement
1 oignon, haché finement
2 échalotes, hachées
  finement

2 c. à soupe de beurre
1 c. à soupe de persil
Sel et poivre
¹/₃ t. de vin blanc

PRÉPARATION : Dans une poêle, faire revenir l'oignon et l'échalote dans le beurre. Cuire environ 3 minutes. Ajouter les champignons. Assaisonner. Verser le vin blanc. Laisser évaporer. Ajouter le persil. Servir.

Excellent en accompagnement des poissons et viandes.

* *La duxelles de champignons peut être utilisée pour farcir plusieurs
légumes tels que le céleri et les champignons. Un pur délice!*

C

Écrasée de haricots blancs et huile de truffe

RECETTE : Voir page 85.

Gnocchis aux cèpes et échalotes braisées

3 échalotes françaises
2 c. à soupe de beurre
1 t. d'eau
2 t. de cèpes, émincés
1 t. de gnocchis de pommes
   de terre cuits
   (voir recette page 112)

1 filet d'huile d'olive
¼ t. de jus de viande
Sel et poivre

40 min

PRÉPARATION : Couper les échalotes en 2 dans le sens
de la longueur. Dans une casserole, déposer les échalotes
et les faire caraméliser avec 1 c. à soupe de beurre. Verser
l'eau et laisser mijoter à petit feu. Terminer la cuisson au
four 20 minutes à 180 °C/350 °F. Dans une grande poêle,
faire revenir les cèpes dans 1 c. à soupe de beurre. Faire
colorer les gnocchis préalablement cuits dans une poêle
dans l'huile d'olive. Incorporer tous les autres ingrédients.
Laisser mijoter 5 à 10 minutes avant de servir.

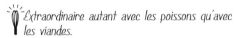 *Extraordinaire autant avec les poissons qu'avec
les viandes.*

* *En risotto ou en omelette, le résultat est tout aussi excellent. Bien frais,
le cèpe se déguste en carpaccio avec un filet d'huile d'olive et de la fleur
de sel.*

Gratin de brocoli et crème de portobellos

RECETTE : Voir page 44.

5 5

Gratin de céleri branche en duxelles de champignons

RECETTE : Voir page 49.

Haricots verts et morilles sautés

RECETTE : Voir page 88.

Mijoté de shiitakes aux pommes de terre grelots

40 min

2 t. de shiitakes, divisés en quartiers
1 échalote française, ciselée
2 c. à soupe de beurre
1 filet d'huile d'olive

2 t. de petites pommes de terre grelots, cuites
½ t. de vin blanc
1 t. d'eau
Sel et poivre

PRÉPARATION : Dans un poêlon, faire revenir les shiitakes et l'échalote dans le beurre et d'huile d'olive. Ajouter les pommes de terre grelots. Déglacer avec le vin blanc. Incorporer l'eau. Assaisonner. Couvrir et laisser mijoter 15 à 20 minutes à feu doux. Servir chaud.

Divin avec les gibiers et autres viandes.

* Les shiitakes ont un goût très corsé. On les retrouve aussi déshydratés sur le marché. L'essayer en duxelles pour napper les filets de poisson est un réel plaisir !

Pâtes fraîches à la crème de morilles

35 min

1 t. de morilles sèches
1 échalote française, ciselée
2 c. à soupe de beurre
2 c. à soupe de vin blanc
1 t. de crème à cuisson 15 %

Sel et poivre
3 t. de tagliatelles fraîches
1 c. à soupe de ciboulette, ciselée

PRÉPARATION : Dans un récipient d'eau tiède, faire tremper les morilles sèches. Prendre soin de bien retirer le sable à l'intérieur des champignons. Dans une casserole, faire revenir l'échalote et les morilles préalablement coupées en rondelles dans le beurre. Déglacer avec le vin blanc. Ajouter la crème, laisser mijoter 10 à 15 minutes à feu doux. Assaisonner. Placer les tagliatelles cuites dans une assiette de service. Verser la crème de morilles sur les pâtes. Parsemer de ciboulette.

Simplement sublime avec les pétoncles, crevettes, poissons et volailles.

* Les morilles sont toujours plus aromatiques quand elles sont sèches. Il s'agit d'un champignon très onéreux, mais ô combien savoureux!

Pleurottes confits

3 t. de pleurotes
4 t. d'huile d'olive
½ t. de vinaigre de vin blanc

1 gousse d'ail, hachée
1 branche de thym frais

50 min

PRÉPARATION : Dans une casserole, faire revenir les pleurotes dans un filet d'huile d'olive. À coloration, déglacer avec le vinaigre de vin blanc et recouvrir avec le volume d'huile d'olive restant. Ajouter l'ail haché et le thym frais. Laisser mijoter 30 à 40 minutes à feu doux. Une fois les pleurotes confits, les placer dans des pots hermétiques ou servir chaud.

Un must avec les rôtis de porc et les viandes braisées ou confites.

* Ne pas hésiter à préparer quelques pots afin de les savourer à longueur d'année.

Poêlée de céleri-rave, girolles (chanterelles) et noix de pin

RECETTE : Voir page 53.

Pommes de terre écrasées, shiitakes et feuilles de chêne

RECETTE : Voir page 80.

40 min

Portobellos farcis au chèvre frais et tomates confites

6 gros portobellos frais
½ t. de tomates confites
1 t. de fromage de chèvre
  frais

Sel et poivre
¼ t. de pesto de basilic
1 t. de roquette
1 filet d'huile d'olive

PRÉPARATION : Retirer la queue des portobellos et les hacher. Sur une plaque à gratin, déposer les portobello partie creuse sur le dessus. Remplir les cavités des champignons des queues hachées. Déposer sur chacun quelques morceaux de tomates confites. Ajouter le fromage de chèvre émietté. Assaisonner. Terminer avec le pesto de basilic. Cuire au four 20 à 25 minutes à 190 °C/375 °F . Assaisonner la roquette et y verser un filet d'huile d'olive. Déposer la roquette sur les champignons.

Absolument superbe avec le saumon ou le steak.

Le portobello est un champignon très savoureux quand il est grillé et cuit en sauce.

Ragoût de concombre citronné et champignons de Paris

RECETTE : Voir page 67.

Ravioles de poireau aux tomates cerises et girolles (chanterelles)

RECETTE : Voir page 107.

45 min

Risotto à la truffe

1 échalote française, ciselée
2 c. à soupe de beurre
¾ t. de riz à risotto
5 à 6 t. de bouillon
  de légumes

½ t. de parmesan
Sel et poivre
1 filet d'huile de truffe
1 petite truffe

PRÉPARATION : Dans une casserole, faire revenir l'échalote dans 1 c. à soupe de beurre. Incorporer le riz et remuer continuellement avec une spatule. Verser le bouillon de légumes en petits filets afin de monter délicatement le risotto. En fin de cuisson, ajouter le reste du beurre et le parmesan. Une fois le risotto crémeux, l'assaisonner et y verser un filet d'huile de truffe. Au moment de servir, ajouter quelques fines tranches de truffe fraîchement râpée.

Un accompagnement haut de gamme qui ne laissera pas les fruits de mer et les volailles indifférents. C'est simplement succulent!!

* Appelée le diamant noir pour sa rareté et son prix, la truffe est offerte en plusieurs variétés. Les truffes noires et les blanches sont les plus connues. Avant utilisation, les placer dans un pot avec le riz à risotto. Celui-ci sera d'autant plus parfumé!

Salade de gourganes fraîches, chou-fleur et champignons King

RECETTE : Voir page 84.

Salade frisée et pleurotes sautés

RECETTE : Voir page 121.

Sauté de girolles (chanterelles) aux gourganes

25 min

1 t. de gourganes fraîches	1/3 t. de chorizo, tranché
2 échalotes françaises, ciselées	1/2 t. de tomates concassées
2 t. de girolles	Sel et poivre
1 filet d'huile d'olive	1 c. à soupe de coriandre, hachée

PRÉPARATION : Blanchir les gourganes 2 à 3 minutes dans une casserole d'eau bouillante. Retirer. Dans une poêle, faire revenir les échalotes et les girolles dans l'huile d'olive. Incorporer les tranches de chorizo et ajouter les tomates concassées. Assaisonner. Parsemer de coriandre. Laisser mijoter 10 à 15 minutes à feu doux. Servir.

Un accord réussi avec tous les plats de volailles.

* *La girolle est un champignon qui, une fois poêlée, s'associe très bien aux crustacés.*

Tagliatelles d'ail confit et champignons café

2 t. de champignons café, émincés
1 t. de tomates cerises, coupées en 2
1 filet d'huile d'olive

½ t. d'ail confit (voir recette page 26)
Sel et poivre
Tagliatelles, au goût
1 c. à soupe de persil, haché

20 min

PRÉPARATION : Dans une grande poêle, faire revenir les champignons et les tomates cerises dans l'huile d'olive. Retirer la peau de l'ail confit et l'incorporer au mélange. Assaisonner. Cuire les tagliatelles *al dente* dans une casserole d'eau bouillante salée. Égoutter. Déposer dans une assiette de service. Verser la préparation sur les pâtes. Parsemer de persil.

 Un accompagnement qui fera bon ménage avec des viandes cuites en sauce ou simplement les rôtis.

* *Par son arôme puissant, le champignon a la faculté de rehausser le goût des viandes. Les champignons peuvent être brossés ou essuyés, mais ne jamais les plonger dans l'eau pour les nettoyer.*

CHÂTAIGNE

Croquettes de châtaignes à l'armagnac

3 grosses pommes de terre, cuites et épluchées
1 t. de châtaignes, cuites
1 échalote française, ciselée
1 c. à soupe de beurre
¼ t. d'armagnac

Sel et poivre
1 pincée de muscade
2 œufs
1 t. de chapelure de pain
1 bain d'huile végétale, pour friture

35 min

PRÉPARATION : Dans un bol, déposer les pommes de terre. Les réduire en purée. Dans une poêle, faire revenir les châtaignes et l'échalote dans le beurre. Déglacer avec l'armagnac. Écraser la préparation de châtaignes et la mélanger à la purée de pommes de terre. Assaisonner et parfumer avec la muscade. Confectionner des croquettes. Les placer au frais quelques minutes afin de les faire raffermir. Dans un petit bol, casser et battre les œufs. Tremper chacune des croquettes dans les œufs battus puis dans la chapelure. Dans un bain d'huile très chaud, les faire frire jusqu'à coloration.

Parfait pour accompagner les volailles entières cuites au four.

* Ne pas confondre la châtaigne et le marron. Ce dernier est réservé principalement pour la préparation de confiseries.

CHOU

Chartreuse de chou au vin blanc

35 min

½ oignon haché
½ chou vert, émincé
2 c. à soupe d'huile d'olive
2 c. à soupe de beurre

1 t. de tranches de bacon, émincées
¾ t. de vin blanc
Sel et poivre

PRÉPARATION : Dans une poêle faire revenir l'oignon et le chou vert dans l'huile d'olive et le beurre. Incorporer le bacon et bien mélanger. Déglacer avec le vin blanc. Assaisonner. Couvrir et laisser mijoter 5 à 10 minutes à feu doux.

Excellent avec des ailes de raie ou un filet mignon de porc.

* Les feuilles du chou vert sont extraordinaires pour travailler facilement toute sortes de paupiettes.

CHOU DE BRUXELLES

Feuilles de choux de Bruxelles à la boulangère

1 grosse pomme de terre, pelée, en morceaux
½ oignon, haché
1 filet d'huile d'olive

2 t. de choux de Bruxelles
1 c. à soupe de beurre
Sel et poivre
½ t. de vin blanc

45 min

PRÉPARATION : Cuire la pomme de terre dans une casserole d'eau bouillante. Dans une poêle, faire revenir l'oignon dans l'huile d'olive. Incorporer la pomme de terre cuite en morceaux. Détacher toutes les feuilles des choux de Bruxelles et les ajouter au mélange de pomme de terre. Incorporer le beurre et remuer délicatement. Assaisonner. Déglacer avec le vin blanc et terminer la cuisson à feu doux.

Accompagnement polyvalent pour poissons et viandes.

* Attention, les choux de Bruxelles, en feuilles ou entiers, sont très amers au goût!

CHOU DE CHINE (CHOU CHINOIS)

Rouleaux de printemps de chou de Chine et soya

🕐 25 min

½ chou de Chine
2 échalotes françaises, ciselées
1 c. à soupe de beurre

1 filet d'huile d'olive
1 t. de germes de soya
½ t. de vin blanc
Sel et poivre

PRÉPARATION : Retirer les premières grandes feuilles du chou et bien les laver. Blanchir les feuilles 1 minute dans une casserole d'eau bouillante. Retirer et plonger immédiatement dans un bol d'eau froide additionnée de glaçons. Déposer sur un linge absorbant. Réserver. Émincer finement le chou restant. Dans un poêlon, faire revenir le chou et les échalotes dans le beurre et l'huile d'olive. Incorporer les germes de soya. Déglacer avec le vin blanc. Assaisonner. Couper les feuilles de chou blanchies en rectangles. Au haut de chacune d'elles, déposer 2 c. à soupe de préparation et rouler. Servir chaud ou froid.

Un accompagnement original pour un plat de poisson à manger avec les mains!

* On peut inclure un filet de poisson cuit à l'intérieur de chacun des rouleaux. On obtient ainsi non pas des sushis, mais de succulents « Chou-si » pour les 5 à 7!

CHOU-FLEUR

Cappuccino de brocoli et chou-fleur

RECETTE : Voir page 43.

Panacotta de chou-fleur, jus de basilic

2 t. de chou-fleur,
en morceaux
1 ½ t. de crème à cuisson 15 %
1 ½ t. de lait
Sel et poivre

4 feuilles de gélatine
1 t. de feuilles de basilic
Jus de ½ citron
¼ t. d'huile d'olive

20 min

PRÉPARATION : Cuire le chou-fleur dans une casserole d'eau bouillante. Retirer et le mixer. Dans une casserole, déposer la purée de chou-fleur. Ajouter la crème et le lait puis porter à ébullition. Assaisonner. Faire tremper les feuilles de gélatine dans un bol d'eau froide. Ajouter à la préparation de chou-fleur une fois la gélatine fondue. Bien mélanger et verser dans des contenants individuels (par exemple des verres à martini). Dans un bol, déposer les feuilles de basilic, le jus de citron et l'huile d'olive. Mixer le tout à l'aide d'un mélangeur à main puis filtrer. Une fois les panacotta gélifiés, verser le jus de basilic sur le dessus (ajouter quelques gouttes d'eau si le jus est trop épais). Servir.

Cette préparation est la meilleure amie des pétoncles et des crevettes.

* Il existe plusieurs variétés de basilic. Écrasé, le basilic a plus de goût que s'il est haché. Il perd beaucoup de son parfum et de sa saveur une fois séché.

Taboulé sans semoule au chou-fleur

½ chou-fleur, en morceaux
¹/₃ t. de tomates concassées
¹/₃ t. d'échalote française,
ciselée
1 c. à soupe de coriandre,
hachée
1 c. à soupe de ciboulette,
ciselée

1 c. à soupe de raisins
de Corinthe
Jus de 1 citron
¼ t. d'huile d'olive
2 c. à soupe de vinaigre
Sel et poivre

30 min

PRÉPARATION : Dans un bol, déposer les morceaux de chou-fleur. Les écraser doucement jusqu'à l'obtention d'une préparation ayant l'aspect de la semoule à couscous. Plonger dans une casserole d'eau bouillante. Égoutter et rincer immédiatement à l'eau froide. Déposer dans un linge et presser pour en retirer l'eau complètement. Dans un bol, déposer tous les autres ingrédients. Terminer avec le chou-fleur. Remuer pour bien mélanger la préparation. Réserver au frais.

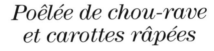

*Une création originale qui saura plaire aux convives.
Idéal pour les grillades.*

* Le chou-fleur consommé cru en trop grande quantité a un pouvoir
laxatif. Vaut mieux le faire blanchir avant de le consommer.

Salade de gourganes fraîches, chou-fleur et champignons King

RECETTE : Voir page 84.

CHOU-RAVE

15 min

Poêlée de chou-rave et carottes râpées

2 t. de carottes, râpées
2 t. de chou-rave râpé
2 c. à soupe de beurre
1 filet d'huile d'olive
½ oignon, finement émincé

Sel et poivre
1 pincée de paprika
2 c. à soupe de coriandre
   fraîche, hachée
¼ t. de cajous, torréfiés
   et concassés

PRÉPARATION : Dans une poêle, faire revenir les légumes
râpés dans le beurre et l'huile d'olive. Ajouter l'oignon et
faire colorer le tout. Assaisonner. Parfumer avec le paprika.
Retirer du feu. Terminer avec la coriandre et les cajous.

*Un accompagnement rapide et savoureux à réaliser
pour poissons et viandes.*

* Le chou-rave s'utilise de la même façon que le céleri-rave. On le
retrouve sur le marché dans les teintes de rouge, violet ou blanc.

CHOU ROMANESCO

25 min

Gnocchis de pommes de terre au chou romanesco

2 t. de chou romanesco
2 échalotes françaises,
   ciselées
½ t. de bacon, émincé
1 filet d'huile d'olive

2 t. de gnocchis de pommes
   de terre
   (voir recette page 112)
½ t. de tomates concassées
Sel et poivre
1/3 t. de basilic frais, haché

PRÉPARATION : Blanchir le chou romanesco préalablement coupé en morceaux dans un casserole d'eau bouillante afin de le blanchir. Retirer et plonger immédiatement dans un bol d'eau froide additionnée de glaçons. Égoutter. Réserver. Dans une poêle, faire revenir les échalotes et le bacon dans l'huile d'olive. Incorporer les gnocchis et faire colorer le tout. Ajouter le chou, les tomates et laisser mijoter 5 à 10 minutes à feu doux. Assaisonner. Au moment de servir, incorporer les feuilles de basilic.

 Une préparation idéale pour les volailles et les poissons.

* Il est important de ne pas cuire le chou romanesco plus de 10 minutes. Sinon, il perdrait sa forme pyramidale unique qui le met en valeur.

CITROUILLE

Arrancini à la citrouille

1 citrouille, pelée, coupée en gros dés
2 c. à soupe de beurre
1 ½ t. de riz cuit
½ t. de parmesan, râpé
1 pincée de muscade

Sel et poivre
3 œufs
1 t. de chapelure de pain
1 bain d'huile végétale, pour friture

30 min

PRÉPARATION : Cuire les dés de citrouille dans une casserole d'eau bouillante. Réduire en purée en ajoutant le beurre. Mixer à l'aide d'un mélangeur à main jusqu'à l'obtention d'une préparation homogène. Réserver au frais. Dans une poêle, déposer le riz. Incorporer le parmesan et la noix de muscade. Mouiller avec un peu d'eau. Assaisonner. Remuer le tout. Réserver au frais. Une fois les 2 préparations refrodies, déposer 1 c. à soupe de riz dans le creux de la main et placer au centre une petite portion de purée de citrouille. Refermer afin de confectionner une boule. Répéter l'opération jusqu'à épuisement du riz. Laisser reposer. Dans un bol, casser les œufs et les battre. Tremper les boules de riz dans les œufs battus puis dans la chapelure. Mettre à frire dans le bain d'huile. Retirer à coloration.

Bel accord avec les gibiers et les rôtis de viande.

* Conserver les graines de citrouille. Elles se consomment quand elles sont torréfiées, séchées et assaisonnées.

Frites de citrouille

1 grosse tranche de citrouille, pelée
1 bain d'huile végétale, pour friture

Sel et poivre
1 pincée de cumin
1 pincée de sel de céleri

20 min

PRÉPARATION : Tailler la tranche de citrouille en bâtonnets. Plonger dans le bain d'huile et frire jusqu'à coloration. Retirer et égoutter sur un linge absorbant. Saupoudrer de sel, de poivre, de cumin et de sel de céleri.

> Une frite gourmande pour un mariage parfait avec les viandes et les poissons. À essayer en remplacement des frites conventionnelles dans le fish and chips. C'est succulent!

* Pour encore plus d'éclat et de saveurs, remplacer le bain d'huile végétale par de la graisse de canard.

Purée de citrouille et patates douces

⏱ 20 min

2 t. de citrouille,
    en morceaux
1 t. de patates douces,
    en morceaux
1 t. de crème à cuisson 15 %
1 gousse d'ail, hachée

1 c. à soupe de beurre
Sel et poivre
2 c. à thé d'estragon frais
    haché
Filet d'huile de noix,
    de noisette ou
    de pistache

PRÉPARATION : Cuire les morceaux de citrouille et de patates douces dans une casserole d'eau bouillante. Retirer. Égoutter et réserver. Dans une autre casserole, déposer les légumes avec la crème, l'ail et le beurre. Assaisonner. Mixer la préparation chaude à l'aide d'un mélangeur à main à même la casserole. Une fois la purée homogène, incorporer l'estragon. Au goût, terminer avec un filet d'huile de noix, noisette, pistache, etc. Servir bien chaud.

> Ces deux légumes s'harmonisent parfaitement avec les viandes et poissons à chair épaisse et même avec un assortiment de fromages affinés. À goûter absolument!

* Ne jamais jeter les citrouilles après les fêtes d'Halloween car elles peuvent être utilisées de bien des façons!

CŒURS DE PALMIER

Salade de haricots coco, cœurs de palmier et tomates cerises

RECETTE : Voir page 86.

Salade orientale de cœurs de palmier

15 min

1 t. de cœurs de palmier,
  en rondelles
1 avocat
1 pamplemousse rose,
  en quartiers
Jus de ½ citron

1 filet d'huile de noix
2 c. à soupe de coriandre
  fraîche, hachée
Sel et poivre
1 pincée de piment
  de cayenne

PRÉPARATION : Dans un grand bol, déposer les cœurs de palmier. Diviser l'avocat en 2 et retirer le gros noyau. Couper la chair en tranches minces et les ajouter aux cœurs de palmier. Couper les quartiers de pamplemousse en 2 et les incorporer au mélange. Ajouter le jus de citron et l'huile de noix. Remuer. Mettre la coriandre et assaisonner. Finir avec la pincée de piment. Réserver la préparation au frais jusqu'au moment de servir.

Un accompagnement parfait pour les crevettes ou tout autre fruit de mer. Une belle salade d'été!

* Le cœur de palmier se trouve généralement en conserve sur le marché. C'est un légume qui se conserve mal frais. Il ne supporterait pas le voyage depuis les destinations tropicales.

CONCOMBRE

Ragoût de concombre citronné et champignons de Paris

20 min

1 échalote française, ciselée
2 t. de champignons de
  Paris émincés
1 filet d'huile d'olive
1 concombre, pelé, tranché
2 c. à soupe de concentré de
  tomates

1 t. de tomates cuites
  concassées ou
  en conserve
1 t. d'eau
Zeste de 1 citron
Sel et poivre
1 c. à thé d'origan

PRÉPARATION : Dans une poêle, faire revenir l'échalote et les champignons dans l'huile d'olive. Ajouter le concombre. À coloration, incorporer le concentré de tomates et les tomates. Mouiller avec l'eau et y mettre le zeste de citron. Assaisonner et ajouter l'origan. Couvrir et cuire 10 à 15 minutes à feu doux.

Recette idéale à servir avec tous les poissons, mais aussi avec les viandes blanches.

* On a tellement l'habitude de consommer le concombre cru que l'on oublie trop souvent que celui-ci peut être cuit!

C

CORNICHON

Tapenade de cornichon

⏱ 10 min

❄

½ t. de cornichons marinés
¼ t. d'oignons grelots
marinés

¼ t. de câpres
½ t. d'huile d'olive

PRÉPARATION : Dans un bol, déposer les 3 condiments et mixer au mélangeur jusqu'à l'obtention d'une pâte bien homogène. Incorporer l'huile d'olive et réserver la préparation dans des petits pots.

Utiliser cette tapenade pour confectionner une croûte pour les poissons blancs à chair épaisse et sur les rôtis de porc au moment de la cuisson.

* *Le cornichon est récolté avant sa maturité. On le retrouve généralement mariné : il est alors dégorgé au sel puis bouilli dans de l'eau, du vinaigre blanc et quelques arômates.*

COURGE MUSQUÉE (BUTTERNUT)

Compotée de courge musquée et porcinis (cèpes)

⏱ 35 min

🔥

½ courge musquée, pelée,
en cubes
2 c. à soupe de beurre
Sel et poivre
¼ t. d'huile de noisette

1 ½ t. de porcinis (cèpes)
frais ou déshydratés,
émincés
1 filet d'huile d'olive
2 échalotes françaises,
ciselées

PRÉPARATION : Cuire la courge musquée dans une casserole d'eau bouillante. Retirer et égoutter. Dans un bol, mettre en purée et y incorporer 1 c. à soupe de beurre. Assaisonner. Incorporer 1 filet d'huile de noisette en pliant à l'aide d'une spatule. Dans une poêle, faire revenir les champignons dans le restant de beurre et l'huile d'olive. Ajouter les échalotes. Servir les champignons sur la compotée de courge, finir avec un filet d'huile de noisette. Assaisonner.

Une extraordinaire préparation pour l'hiver qui se mariera à merveille avec les poissons et les viandes.

* *La courge musquée s'appelle Butternut en anglais, ce qui est très approprié puisqu'elle a un subtil goût de noix.*

Millefeuille de céleri-rave et courge musquée

RECETTE : Voir page 52.

COURGE SPAGHETTI

Courge spaghetti au fromage à la crème et aux fines herbes

20 min

1 courge spaghetti
1 t. de fromage à la crème
Sel et poivre
2 échalotes françaises, ciselées
2 gousses d'ail, hachées
1 c. à soupe de basilic, haché

1 c. à soupe de persil, haché
1 c. à soupe de coriandre, hachée
1 c. à soupe de ciboulette, ciselée
1 filet d'huile d'olive

PRÉPARATION : Cuire la courge spaghetti entière recouverte de papier d'aluminium au four 15 à 25 minutes à 190 °C/375 °F. Après cuisson, diviser la courge en deux et, à l'aide d'une fourchette, retirer la chair de la courge. La déposer dans un bol et réserver. Dans une casserole, déposer le fromage à la crème. Assaisonner. Incorporer les échalotes et l'ail. Remuer et ajouter toutes les fines herbes. Mélanger cette préparation délicatement avec la chair de la courge spaghetti ou la déposer sur le dessus. Parfumer avec un filet d'huile d'olive.

Extraordinaire avec les poissons et les volailles. À elle-même, cette recette est un plat végétarien très savoureux.

* La courge spaghetti peut être consommée en crudité. Attention: pour la présente recette, si elle est trop cuite, son arôme s'effacera…

COURGETTE

Gratin de courgettes et riz

35min

3 courgettes, en rondelles
1 gousse d'ail, hachée
2 c. à soupe d'estragon
Sel et poivre

1 filet d'huile d'olive
2 c. à soupe de beurre
2 t. de riz blanc, cuit
1 t. de gruyère râpé

PRÉPARATION : Cuire les courgettes 5 à 10 minutes dans une casserole d'eau bouillante. Égoutter. Dans un bol, déposer les courgettes avec l'ail et l'estragon. Remuer. Assaisonner et verser l'huile d'olive. Faire fondre le beurre dans le riz blanc cuit. Saler et poivrer. Dans un plat à gratin, déposer une couche de courgettes, étaler le riz sur toute la surface et recouvrir d'une dernière couche de courgettes. Parsemer de gruyère. Cuire au four 15 à 20 minutes à 190 °C/375 °F. Servir chaud.

Un gratin facile à réaliser et très savoureux pour accompagner les plats de viandes et les poissons grillés.

* Il est toujours préférable de ne pas peler les courgettes avant de les cuire. Elles conservent mieux leur forme.

Courgettes farcies en duxelles de champignons

30 min

1 échalote française, ciselée
1 c. à soupe de concentré de tomates
1 filet d'huile d'olive
1 c.à thé d'origan, haché
2 t. de tomates concassées

½ t. de vin blanc
1 t. d'eau
Sel et poivre
3 courgettes
1 t. de duxelles de champignons
(voir recette page 54)

PRÉPARATION : Dans une poêle, faire revenir l'échalote et le concentré de tomates dans l'huile d'olive. Ajouter l'origan, les tomates et le vin blanc. Verser l'eau. Assaisonner. Laisser mijoter 5 à 10 minutes à feu doux. Laver les courgettes et les couper en 2 dans les sens de la longueur. Les creuser délicatement puis les farcir de la duxelles de champignons déjà préparée. Dans un plat à gratin, verser la préparation aux tomates et déposer les courgettes farcies. Cuire au four 15 à 20 minutes à 190 °C/375 °F.

Une préparation parfaite pour les poissons cuisinés en sauce et pour les volailles.

* On peut farcir d'autres légumes que les courgettes avec cette préparation. Pourquoi ne pas essayer l'oignon?

Flan de courgettes à l'aneth

30 min

2 courgettes, en rondelles
1 gousse d'ail, hachée
1 filet d'huile d'olive
⅓ t. crème à cuisson 15 %
¾ t. de lait

4 œufs
1 t. d'aneth frais, finement haché
Sel et poivre

PRÉPARATION :   Cuire les courgettes dans une casserole d'eau bouillante. Retirer et égoutter. Dans un bol, déposer les courgettes et les mixer avec l'ail et l'huile d'olive. Incorporer la crème et le lait. Mélanger. Ajouter les œufs. Bien remuer jusqu'à l'obtention d'une préparation homogène. Assaisonner. Verser la préparation dans des ramequins individuels. Placer les ramequins dans un plat allant au four contenant de l'eau chaude. Cuire au four au bain-marie de 20 à 25 minutes à 170 °C/325 °F.

Un accompagnement savoureux pour les filets de poissons délicats.

* *Il existe une variété de courgette jaune, ne pas hésiter à l'utiliser pour cette recette!*

Ratatouille express

20 min

2 courgettes, en gros dés
½ oignon, haché grossièrement
2 tomates bien mûres, en gros dés
1 t. d'aubergine, en gros dés
1 filet d'huile d'olive

2 gousses d'ail, hachées
1 c. à soupe de concentré de tomates
1 c. à soupe d'herbes de Provence
Sel et poivre

PRÉPARATION :   Dans une grande poêle, faire revenir les légumes dans l'huile d'olive jusqu'à coloration. Incorporer l'ail, le concentré de tomates ainsi que les herbes de Provence. Remuer. Assaisonner. Recouvrir d'eau. Couvrir et laisser mijoter10 à 15 minutes à feu doux.

La ratatouille fait toujours bon ménage avec les poissons et viandes blanches.

* *Recette idéale à préparer quand il reste dans votre frigo quelques légumes déjà coupés!*

Poivrons farcis d'un riz aux courgettes

RECETTE :   Voir page 112.

Tian de légumes

RECETTE :   Voir page 35.

DAÏKON

20 min

Salade fraîche de daïkon en vermicelles, vinaigrette au yuzu

½ daïkon, pelé, râpé
3 c. à soupe de jus de yuzu

¼ t. d'huile d'olive
Sel et poivre

PRÉPARATION : Tremper le daïkon râpé dans un bol d'eau froide. Égoutter et réserver au frais. Dans un autre bol, préparer la vinaigrette au yuzu en mélangeant le jus de yuzu et l'huile d'olive. Assaisonner. Mélanger au daïkon. Égoutter et réserver au frais.

 Un accompagnement fraîcheur pour les fruits de mer.

* *Le daïkon se mange cru. Cuit, il perd sa saveur. Celle-ci se rapproche de celle du radis noir. Il est délicieux.*

ÉCHALOTE

20 min

Croûtons d'échalotes confites à la racine de persil

1 t. d'échalotes entières
1 t. d'huile d'olive
1 racine de persil,
    en morceaux

1 gousse d'ail, hachée
Sel et poivre
Baguette de pain,
    en tranches

PRÉPARATION : Peler les échalotes. Dans une casserole, les faire confire en les couvrant d'huile d'olive. Cuire les racines de persil dans une casserole d'eau bouillante. Égoutter. Mélanger échalotes et racines de persil. Y incorporer l'ail haché. Assaisonner. Passer les tranches de baguette au four pour obtenir des croûtons. Servir en déposant la preparation sur les croûtons.

Chauds ou froids, ces croûtons gourmands iront à merveille avec les viandes froides ainsi que toutes les charcuteries et les fromages.

* *Les échalotes peuvent parfois remplacer les oignons. C'est le cas dans la recette de la confiture d'oignons à la grenadine (voir recette page 95). À essayer absolument!!*

Feuilles d'oseille et crème d'échalotes

RECETTE :   Voir page 98.

Gnocchis aux cèpes et échalotes braisées

RECETTE :   Voir page 55.

Tarte tatin aux échalotes

40 min

4 t. d'échalotes, ciselées
3 c. à soupe de beurre

Sel et poivre
1 pâte feuilletée

PRÉPARATION :   Dans une grande poêle, faire revenir les échalotes dans le beurre. Faire caraméliser la préparation et assaisonner. Dans un moule à tarte, déposer les échalotes bien colorées et recouvrir d'une pâte feuilletée. Piquer toute la surface à l'aide d'un couteau. Cuire au four 20 à 30 minutes à 170 °C/325 °F. Laisser reposer et retourner la tarte dans une assiette de service.

Excellent chaud ou froid.   Un pur délice avec les ris de veau poêlés!

* L'échalote se consomme tout autant crue pour rehausser les salades, que cuite, braisée et même grillée.

ENDIVE

Chiffonnade d'endives poêlées au bleu et aux noix

15 min

3 endives, émincées en chiffonade
1 filet d'huile d'olive
½ t. de fromage bleu, en dés

⅓ t. de noix de Grenoble
½ t. de tomates cerises
1 c. à soupe de vinaigre de framboise
Sel et poivre

PRÉPARATION :   Dans une poêle, faire revenir les endives rapidement dans l'huile d'olive. Incorporer le fromage et les noix. Ajouter les tomates cerises et déglacer avec le vinaigre de framboise. Cuire 5 à 6 minutes à feu vif. Assaisonner. Servir.

Parfait avec la dinde et autres viandes grillées au barbecue.

* L'endive s'associe très bien à la pomme verte. L'essayer, c'est l'adopter!!

25 min

Endives braisées au beurre noisette

4 c. à soupe de jus de citron
3 endives
3 c. à soupe de beurre

¼ t. de noisettes torréfiées
Sel et poivre

PRÉPARATION : Arroser les endives avec le jus de citron. Cuire les endives 5 à 10 minutes dans une casserole d'eau bouillante. Retirer et égoutter. Les diviser en 2 dans le sens de la longueur. Dans une poêle, déposer le beurre et cuire les endives des 2 côtés. Une fois les endives bien colorées, déglacer avec le restant du jus de citron. Concasser les noisettes grossièrement et les parsemer dans la poêle. Assaisonner. Servir.

Un vrai plaisir avec les crustacés et les poissons.

* L'endive est douce et subtile avec un goût de noisette à cru. Attention: plus on la fait cuire, plus elle est amère.

20 min
❄

Feuilles de chicon et mousse de poivron rouge

1 poivron rouge,
    coupé en 2, paré
1 échalote française, ciselée
1 gousse d'ail, hachée
Sel et poivre

1 t. de crème 35 %
2 endives
2 c. à soupe de ciboulette,
    ciselée

PRÉPARATION : Dans un mélangeur, mixer le poivron avec l'échalote et l'ail. Assaisonner. Dans un bol, monter la crème en Chantilly à l'aide d'un fouet. À l'aide d'une spatule, mélanger les deux préparations en pliant délicatement. Effeuiller les endives. Farcir chaque feuille avec la préparation en utilisant une poche à douille ou une cuillère. Parsemer de ciboulette et servir bien frais.

Une trempette gourmande qui accompagne très bien les poissons fumés.

* Le chicon? En fait, il s'agit d'un autre mot pour désigner l'endive. Il n'est pas nécessaire de laver les endives. Il suffit d'enlever les premières feuilles du dessus. Pour atténuer le goût amer de ce légume, retirer le cône du cœur avant d'utiliser.

Gratin d'endives
au jambon

Jus de 1 citron	5 tranches de jambon blanc
5 endives	$1/3$ t. de farine
$1/3$ t. de beurre	$1 ½$ t. de lait
Sel et poivre	½ t. de gruyère, râpé

PRÉPARATION : Arroser les endives de jus de citron et les cuire 5 à 10 minutes dans une casserole d'eau bouillante. Retirer et égoutter. Les diviser en 2 dans le sens de la longueur. Dans une poêle, faire revenir les endives avec une noix de beurre. Assaisonner. Couper les tranches de jambon en 2 et les enrouler autour des endives. Déposer les endives au jambon dans un plat à gratin. Réserver. Dans une poêle, déposer le restant de beurre et le faire fondre à feu doux pour démarrer la béchamel. Verser la farine en pluie dans le beurre, remuer avec une spatule et ajouter le lait peu à peu. Assaisonner. Napper les endives au jambon avec la béchamel et parsemer de gruyère. Cuire au four 20 minutes à 170 °C/325 °F. Faire gratiner à *broil*.

 Un accompagnement fort goûteux pour les viandes blanches.

* Il existe une variété intéressante d'endive rouge appelée carmine.

45 min

Tatin d'endives braisées
au feta et au caramel
de betteraves

Jus de 2 citrons	1 pâte feuilletée
5 endives	3 c. à soupe de caramel
¼ t. de beurre	de betteraves
Sel et poivre	(voir recette page 42)
1 t. de fromage feta	

PRÉPARATION : Arroser les endives de jus de citron. Les cuire dans une casserole d'eau bouillante. Retirer et égoutter. Les diviser en 2 dans le sens de la longueur. Dans une poêle, faire revenir 5 à 6 minutes de chaque côté dans le beurre. Assaisonner. Réserver. Dans une autre casserole, fondre le fromage feta à feu doux en remuant continuellement. Beurrer un moule à tarte. Effeuiller les endives. Disposer une première couche de feuilles en rosace dans le moule à tarte. Recouvrir de fromage fondu. Disposer une seconde couche de feuilles. Déposer la pâte feuilletée sur le dessus et la piquer avec la pointe d'un couteau. Cuire au four 25 à 30 minutes à 170 °C/325 °F. Laisser reposer quelques minutes. Retourner la tarte dans une assiette de service. Verser le caramel de betteraves tout autour.

40 min

E

Exquis avec le poulet.

* Les endives doivent être citronnées avant cuisson car elles s'oxydent très vite au contact des sources de chaleur.

ÉPINARDS

15 min

Épinards en salade, œufs de caille et framboises

6 œufs de caille
3 t. de feuilles d'épinards frais
Quelques croustilles de pommes de terre
½ t. de framboises

1 filet de vinaigre de framboise
1 filet d'huile d'olive
Sel et poivre
1 c. à soupe de ciboulette, ciselée

PRÉPARATION : Cuire les œufs de caille 3 minutes dans une casserole d'eau bouillante. Couper les œufs durs en 2 dans le sens de la longueur. Dans un bol, déposer les épinards, les croustilles de pommes de terre et les framboises. Dans un autre bol, préparer la vinaigrette en mélangeant le vinaigre de framboise, l'huile d'olive, le sel et le poivre. Verser la vinaigrette sur les épinards. Ajouter les œufs de caille et parsemer de ciboulette. Servir frais.

Excellent avec les cailles rôties et de nombreuses grillades de viande.

* Les épinards n'ont pas besoin d'eau pour la cuisson car ils en contiennent 90 %.

15 min

Feuilles d'épinards frites, sauce soya et parmesan

½ t. d'huile végétale
2 t. d'épinards

3 c. à soupe de sauce soya
1 c. à soupe de parmesan râpé

PRÉPARATION : Dans une grande poêle, déposer l'huile et la faire chauffer. Incorporer les feuilles d'épinards et remuer avec une spatule. Retirer et disposer sur un linge absorbant. Dans un grand bol, placer les épinards frits. Arroser de sauce soya et parsemer de parmesan. Savourer rapidement.

D'origine thaïlandaise, cette préparation constitue un accord formidable avec le poulet et les arachides.

* Les épinards frits sont intéressants comme croustilles de légumes! Attention: ne se conservent que quelques heures une fois frits.

Lasagne d'épinards et poireau aux fines herbes

1 poireau, émincé
2 c. à soupe de beurre
2 gousses d'ail, hachées
1 échalote française, ciselée
2 t. de crème à cuisson 15 %

Sel et poivre
2 t. de feuilles d'épinards
2 carrés de pâtes à lasagne fraîches
½ t. de parmesan râpé

40 min

PRÉPARATION : Dans une poêle, faire revenir le poireau dans 1 c. à soupe de beurre. Incorporer la moitié de l'ail et de l'échalote. Verser 1 t. de crème. Assaisonner et laisser mijoter 5 à 10 minutes à feu doux. Dans une autre poêle, répéter les opérations avec les feuilles entières d'épinards. Faire blanchir les pâtes à lasagne en les plongeant dans une casserole d'eau bouillante. Dans un plat à gratin, déposer un rang de pâtes. Couvrir de la préparation de poireau à la crème. Placer un autre rang de pâtes sur le dessus. Couvrir de la préparation d'épinards à la crème. Terminer avec une dernière couche de pâtes. Parsemer de parmesan. Cuire au four 30 minutes à 170 °C/325 °F.

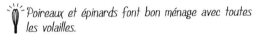

Poireaux et épinards font bon ménage avec toutes les volailles.

* Pour une expérience gustative des plus intéressantes, placer une couche de saumon poché et émietté au centre de cette lasagne. Ça fera tout un plat auprès des invités !

Mijoté d'épinards et tomates, œuf poché

1 gousse d'ail, hachée
1 échalote française, ciselée
2 t. d'épinards
1 filet d'huile d'olive
1 c. à soupe de concentré de tomates

1 t. de tomates concassées
Sel et poivre
1 t. d'eau
¼ t. de vin blanc
½ t. de vinaigre blanc
4 œufs

35 min

PRÉPARATION : Dans une grande casserole, faire revenir l'ail, l'échalote ainsi que les épinards dans l'huile d'olive. Remuer et incorporer le concentré de tomates et les tomates. Assaisonner. Ajouter l'eau et le vin blanc. Laisser mijoter 10 à 15 minutes à feu doux. Dans une casserole d'eau bouillante, verser le vinaigre et faire pocher les œufs un à un. Verser la préparation de légumes sur les œufs pochés.

Un accompagnement idéal pour tous les plats de viandes braisées ou confites.

* Les épinards font partie des aliments les plus riches en vitamines.

E

······

⏱ 30 min

······

🔥

Roulé d'épinards aux feuilles de basilic

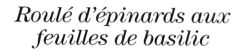

1 échalote française, ciselée
2 gousses d'ail, hachées
2 c. à soupe de beurre
5 t. de feuilles d'épinards
Sel et poivre

¼ t. de vin blanc
1 t. de crème à cuisson
    35 %
1 t. de basilic frais
½ rouleau de pâte phyllo
1 filet d'huile d'olive

PRÉPARATION : Dans une grande poêle, faire revenir
l'échalote et l'ail dans le beurre. Incorporer les feuilles
d'épinards. Assaisonner. Remuer. Ajouter le vin blanc ainsi
que la crème. Laisser mijoter 5 à 10 minutes à feu doux.
Dérouler la pâte phyllo. Déposer la préparation d'épinards
additionnée des feuilles de basilic sur la pâte. Enrouler la
filo et badigeonner la surface avec l'huile d'olive. Cuire au
four 20 minutes à 180 °C/350 °F. Couper en tranches au
moment de servir.

🥄 *Un accompagnement parfait pour les rôtis de viande,*
mais aussi pour les poissons en croûte.

* *Confectionner des minichaussons avec cette recette et les conserver au*
congélateur. On obtient ainsi de superbes bouchées 5 à 7 de dernière
minute!

······

⏱ 15 min

······

❄

Trempette d'épinards et de céleri branche

¾ t. de mayonnaise
Jus de 1 citron
1 échalote, ciselée
1 c. à soupe de ciboulette,
    ciselée
1 gousse d'ail, hachée

1 c. à soupe de persil, haché
1 t. de feuilles d'épinards
1 branche de céleri
Sel et poivre
Quelques gouttes de sauce
    Tabasco

PRÉPARATION : Dans un bol, déposer la mayonnaise et le
jus de citron. Incorporer l'échalote et l'ail. Remuer le tout et
ajouter la ciboulette et le persil. Mixer ou hacher au couteau
les feuilles d'épinards et la branche de céleri. Mélanger
la préparation et assaisonner. Terminer la sauce avec
quelques gouttes de sauce Tabasco.

🥄 *Bien sûr délicieux avec des bâtonnets de légumes ou*
une pomme de terre au four. Il faut aussi essayer avec
des beignets de poisson, c'est parfait!

* *Pour rehausser le goût des épinards, il suffit de les arroser d'un peu de*
jus de citron. La mayonnaise, dans cette recette, peut être remplacée par
du yogourt ou un fromage à la crème.

FENOUIL

Fenouil confit et olives

2 fenouils entiers
1 bouteille d'huile d'olive
1 t. d'olives vertes,
    dénoyautées

Zeste de 1 citron
Sel et poivre

🕐
45 min

PRÉPARATION : Nettoyer et laver les bulbes de fenouil. Cuire le fenouil dans une casserole d'eau bouillante. Retirer et égoutter. Diviser en 4 dans le sens de la longueur. Dans une poêle, faire revenir le fenouil dans l'huile d'olive. À coloration, recouvrir d'huile d'olive et laisser mijoter 30 à 40 minutes à feu doux. Incorporer les olives et le zeste de citron. Assaisonner. Servir le fenouil confit avec les olives et retirer le zeste au moment de servir.

 Servir avec les poissons grillés et les coquillages cuisinés.

* Tout s'utilise dans le fenouil! Les graines en épices, le bulbe pour les préparations de plats et les branches d'aneth comme herbes fraîches.

Papillotes de fenouil braisé, vin blanc et tomates

2 fenouils entiers
2 échalotes françaises,
    ciselées
1 c. à thé d'herbes
    de Provence
1 filet d'huile d'olive

1 t. de vin blanc
1 c. à soupe de concentré
    de tomates
2 t. de tomates concassées
Sel et poivre

🕐
40 min

PRÉPARATION : Cuire le fenouil dans une casserole d'eau bouillante. Retirer et égoutter. Couper le fenouil en gros morceaux. Dans une poêle, faire revenir le fenouil, les échalotes et les herbes de Provence dans l'huile d'olive. À coloration, déglacer avec le vin blanc. Incorporer le concentré de tomates et les tomates concassées. Recouvrir d'eau. Assaisonner. Couvrir et laisser mijoter à 30 à 40 minutes à feu doux. Préparer des carrés de feuilles d'aluminium. Déposer au centre de chaque carré une portion de la préparation. Refermer pour former des papillotes. Cuire au four 10 à 15 minutes à 170 °C/325 °F. Servir.

Parfait pour tous les plats de poisson et les viandes en sauce.

* On peut compléter les papillotes avec des filets de poisson blanc pour en faire tout un plat!

F

Purée de fenouil et topinambours

35 min

2 t. de topinambours, pelés	¼ t. d'huile d'olive
1 fenouil entier	Sel et poivre
1 gousse d'ail, hachée	

PRÉPARATION : Cuire le topinambour dans une casserole d'eau bouillante. Dans une autre casserole, cuire le fenouil lavé avec la gousse d'ail. Retirer tous les légumes cuits et mettre en purée. À l'aide d'un tamis ou d'une passoire, passer la purée. Dans une casserole, déposer et faire mijoter. Ajouter l'huile d'olive et assaisonner.

Cette purée très savoureuse accompagne très bien les poissons et les viandes blanches.

* *Allonger avec quelques tasses de bouillon de légumes pour obtenir un succulent potage.*

FEUILLES DE CHÊNE

Pommes de terre écrasées, shiitakes et feuilles de chêne

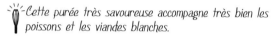

25 min

1 grosse pomme de terre Yukon Gold, pelée	1 c. à soupe de vinaigre de xérès
1 t. de shiitakes, émincés	2 t. de salade feuilles de chêne
¼ t. d'huile d'olive	Sel et poivre
2 échalotes françaises, ciselées	

PRÉPARATION : Peler et faire cuire la pomme de terre dans une casserole d'eau bouillante. La retirer et l'écraser grossièrement à l'aide d'une fourchette. Dans une poêle, caraméliser les shiitakes dans un filet d'huile d'olive. Incorporer les échalotes. Déglacer avec le vinaigre de xérès. Ajouter la pomme de terre écrasée et les feuilles de chêne. Remuer le tout avec une spatule. Verser un filet d'huile d'olive. Assaisonner. Servir.

Un accompagnement parfait et délicat pour les viandes rôties et le canard.

* *La laitue feuilles de chêne doit son nom à sa forme qui ressemble étrangement aux feuilles de l'arbre. Elle a un goût prononcé de noisette…*

FÈVE NOIRE

Sauté de fèves noires, coriandre et olives

30 min

1 ½ t. de fèves noires
2 gousses d'ail, hachées
1 filet d'huile d'olive
Sel et poivre
½ t. d'olives vertes et noires, dénoyautées, tranchées

½ t. de tomates concassées
Jus de 1 citron
½ t. d'eau
1 pincée de cumin
2 c. à soupe de coriandre, hachée

PRÉPARATION : Dans une poêle, faire revenir les fèves et l'ail dans l'huile d'olive. Assaisonner. Incorporer les olives et les tomates concassées. Verser le jus de citron et ajouter l'eau. Parfumer avec le cumin et la coriandre fraîche. Servir chaud.

Particulièrement intéressant avec les poissons, mais aussi avec la dinde.

* Très présente en Amérique du Sud, la fève noire est très appréciée dans les soupes ou en purée.

FLAGEOLET

Flageolets à la crème de pesto

35 min

2 échalotes françaises, ciselées
2 gousses d'ail, hachées
1 noix de beurre
2 t. de flageolets en conserve

1 c. à soupe de concentré de tomates
¼ t. de pesto
1 t. de crème à cuisson 15%
Sel et poivre

PRÉPARATION : Dans une casserole, faire revenir les échalotes et l'ail haché dans le beurre. Ajouter les flageolets et le concentré de tomates. Remuer. Incorporer le pesto et la crème. Assaisonner. Laisser mijoter 20 minutes à feu doux. Servir bien chaud.

Convient à merveille aux gigots et aux rôtis d'agneau.

* Le flageolet est une variété de haricot blanc cueilli avant maturité. Il a une couleur verte très vive.

FLEUR DE COURGETTE

Fleurs de courgettes farcies et pochées, jus d'herbes

40 min

6 fleurs de courgettes
   avec leurs courgettes
½ t. de duxelles
   de champignons
   (voir recette page 54)
1 filet d'huile d'olive
1 noix de beurre
Sel et poivre

1 t. d'eau
1 c. à soupe de jus de citron
1 c. à soupe de persil, haché
1 c. à soupe d'aneth, haché
1 c. à soupe de coriandre,
   hachée
1 gousse d'ail, hachée

PRÉPARATION : Ouvrir l'intérieur des fleurs de courgettes pour en retirer les pistils. Dans chacune des fleurs, déposer une portion de duxelles de champignons et refermer en repliant. Dans une casserole, placer les courgettes attachées à leurs fleurs farcies. Recouvrir d'eau. Verser l'huile d'olive, ajouter le beurre et assaisonner. Porter à ébullition, puis cuire 10 à 15 minutes à feu doux. Dans une casserole, preparer le jus d'herbe. Y verser l'eau, le jus de citron, les fines herbes et l'ail. Dès la première ébullition, retirer, mixer à l'aide d'un mélangeur à main et filtrer le jus. Placer les fleurs de courgettes dans des assiettes creuses. Napper de jus d'herbe juste avant de servir.

 Idéal avec les poissons et les volailles.

* *Les fleurs de courgettes sont sublimes, mais disponibles sur une très courte période dans les marchés. Il existe des fleurs de courgettes mâles ou femelles. Pour les reconnaître, il faut savoir que les mâles ont une tige et les femelles ont la courgette!*

GOURGANE

Cassolette de gourganes et chorizo

30 min

2 échalotes françaises,
   ciselées
½ t. de rondelles de chorizo
1 filet d'huile d'olive
2 c. à soupe de concentré
   de tomates
¼ t. de vin blanc

1 t. de tomates concassées
1 gousse d'ail, hachée
2 t. de gourganes fraîches
Sel et poivre
1 c. à soupe de coriandre
   fraîche, hachée

PRÉPARATION : Dans une casserole, faire revenir les échalotes et le chorizo dans l'huile d'olive. Ajouter le concentré de tomates. Déglacer au vin blanc. Incorporer les tomates concassées ainsi que l'ail haché. Compléter avec les gourganes et recouvrir d'eau. Saler et poivrer. Faire mijoter 10 à 15 minutes à feu doux. Ajouter la coriandre avant de servir.

Un accompagnement qui rehaussera les préparations à base de viande de porc.

* *Chaque cosse donne jusqu'à 10 fèves ou gourganes!*

Crémeuse de gourganes, croustilles de bacon

30 min

1 gousse d'ail, hachée
2 échalotes françaises, ciselées
1 noix de beurre
2 t. de gourganes fraîches

2 t. de crème à cuisson 15 %
Sel et poivre
1 t. de bouillon de légumes
6 tranches de bacon
1 filet d'huile d'olive

PRÉPARATION : Dans une casserole, faire revenir l'ail et les échalotes dans le beurre. Ajouter les gourganes et remuer le tout. Verser la crème, assaisonner et faire mijoter 10 minutes à feu doux. Mixer la preparation à l'aide d'un mélangeur à main. Incorporer le bouillon de légumes et cuire 5 à 10 minutes supplémentaires. Sur une plaque de cuisson, déposer les tranches de bacon et les faire cuire au four jusqu'à ce qu'elles soient grillées. Au moment de servir le potage, briser le bacon en croustilles. Déposer sur le dessus. Terminer avec un léger filet d'huile d'olive.

 Idéal servi avec une morue pochée.

* *Retirer la peau qui recouvre les gourganes, cette pellicule leur donne un goût amer.*

Ragoût de gourganes séchées, saucisses et petits pois

50 min

2 t. de gourganes séchées
1 t. de saucisses, coupées en rondelles
½ t. d'oignon, haché
2 gousses d'ail, hachées
½ t. de carottes, en rondelles

½ t. de céleri branche, émincé
1 filet d'huile d'olive
2 c. à soupe de concentré de tomates
1 t. de tomates concassées
½ t. de vin rouge
Sel et poivre

PRÉPARATION : Dans un bol d'eau froide, tremper les gourganes séchées pendant 1 h. Dans une poêle, faire revenir les rondelles de saucisses. Retirer. Faire colorer l'oignon, l'ail, les carottes et le céleri dans l'huile d'olive. Incorporer la saucisse cuite ainsi que les gourganes préalablement égouttées. Ajouter le concentré de tomates ainsi que les tomates concassées. Remuer. Déglacer avec le vin rouge. Assaisonner et recouvrir d'eau. Couvrir et laisser mijoter 30 à 40 minutes à feu doux.

Succulent avec l'agneau et le gibier. Peut convenir aux poissons de roche.

* Déguster la gourgane trempée dans du sel est un vrai délice!!

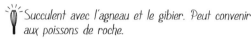

Salade de gourganes fraîches, chou-fleur et champignons King

2 t. de gourganes fraîches
1 t. de champignons King, émincés
2 c. à soupe de beurre
2 c. à soupe de miel
3 c. à soupe de vinaigre de vin
Sel et poivre

1 filet d'huile d'olive
1 t. de chou-fleur cru, en petits morceaux
1 c. à soupe de ciboulette, ciselée
3 c. à soupe de noix de pin torréfiées

PRÉPARATION : Cuire les gourganes moins de 1 minute dans une casserole d'eau bouillante. Retirer la pellicule qui recouvre les gourganes. Tremper les fèves bien vertes dans l'eau froide. Dans une poêle, faire revenir les champignons dans le beurre. Dans un bol, déposer le miel et le vinaigre de vin puis assaisonner. Verser l'huile d'olive. Dans un bol, placer les gourganes, les champignons et le chou-fleur. Verser la vinaigrette et remuer. Terminer avec la ciboulette et les noix de pin.

Un accompagnement fraîcheur pour les grillades de poisson et viande.

* Pour écosser les gourganes avec facilité, il suffit de les plonger dans l'eau bouillante moins de 1 minute.

Sauté de girolles (chanterelles) aux gourganes

RECETTE : Voir page 59.

HARICOT BLANC

Écrasée de haricots blancs et huile de truffe

60 min

2 t. de haricots blancs secs
3 gousses d'ail
1 noix de beurre
¼ t. de crème 15 %

Sel et poivre
1 filet d'huile de truffe
2 c. à soupe de ciboulette,
  ciselée

PRÉPARATION : Faire tremper les haricots blancs dans un bol d'eau toute une nuit. Cuire 30 minutes dans une casserole d'eau bouillante. Changer l'eau et les cuire de nouveau 30 minutes. Égoutter. Dans une autre casserole d'eau bouillante, mettre à pocher les gousses d'ail. Les retirer et les écraser à l'aide d'une fourchette. Écraser également les haricots blancs. Mélanger les deux. Incorporer le beurre ainsi que la crème. Assaisonner. Parfumer la préparation avec l'huile de truffe et la ciboulette.

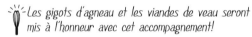 *Les gigots d'agneau et les viandes de veau seront mis à l'honneur avec cet accompagnement!*

* *Le haricot blanc sec est une excellente source de protéines. Il peut même remplacer la viande.*

Haricots blancs confits à la graisse d'oie

2 h

2 t. de haricots blancs secs
4 t. de graisse d'oie
1 branche de thym frais
1 feuille de laurier

1 échalote entière, écrasée
1 gousse d'ail, écrasée
Sel et poivre

PRÉPARATION : Faire tremper les haricots blancs dans un bol d'eau toute une nuit. Égoutter. Cuire 30 minutes dans une casserole d'eau bouillante. Égoutter de nouveau. Dans une poêle, fondre la graisse d'oie et déposer le thym, le laurier, l'échalote et l'ail. Ajouter les haricots. Assaisonner. Confire 1 h 30 à feu doux. Retirer la graisse et servir.

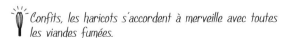 *Confits, les haricots s'accordent à merveille avec toutes les viandes fumées.*

* *Voici la base du fameux cassoulet. Attention à ne pas trop cuire les haricots, ils deviendraient trop farineux.*

Haricots blancs en sauce tomate

40 min

2 t. de haricots blancs secs
½ oignon, haché
2 gousses d'ail
1 filet d'huile d'olive
¼ t. de vin blanc

4 feuilles de sauge
1 c. à soupe de concentré
de tomate
2 t. de concassé de tomates
Sel et poivre

PRÉPARATION : Faire tremper les haricots blancs dans un bol d'eau toute une nuit. Cuire 30 minutes dans une casserole d'eau bouillante. Changer l'eau et les cuire de nouveau 30 minutes. Égoutter. Dans une poêle, faire revenir l'oignon et l'ail dans l'huile d'olive. Ajouter les haricots blancs et déglacer avec le vin blanc. Incorporer les feuilles de sauge entières et verser le concentré et le concassé de tomates. Assaisonner et recouvrir d'eau. Laisser mijoter 20 à 30 minutes à feu doux.

 Le haricot s'adapte aux plats de poisson ou de viande.

** Il existe plusieurs variétés et couleurs de haricot sec (blanc, rouge, noir).
Il fait partie de la famille des légumineuses.*

HARICOT COCO

Salade de haricots coco, cœurs de palmier et tomates cerises

15 min

2 t. de haricots coco frais
1 c. à thé de moutarde
1 c. à soupe de vinaigre
de vin rouge
1 filet d'huile d'olive
Sel et poivre

1 t. de cœurs de palmier,
en rondelles
1 t. de tomates cerises,
coupées en 2
Quelques feuilles de basilic,
au goût

PRÉPARATION : Rincer les haricots coco à grande eau. Réserver. Dans un bol, déposer la moutarde et le vinaigre de vin rouge puis verser l'huile d'olive. Assaisonner. Incorporer les haricots coco, les cœurs de palmier et les tomates cerises. Mélanger et ajouter le basilic. Servir frais.

 *Un vrai délice en été. À découvrir comme
accompagnement pour le thon grillé.*

* Le haricot coco est aussi savoureux cru que cuit !

HARICOT JAUNE

Haricots jaunes au beurre d'agrumes

30 min

3 t. de haricots jaunes
2 gousses d'ail, hachées
2 c. à soupe de beurre

Jus de 1 orange
Jus de 1 citron
Sel et poivre

PRÉPARATION : Cuire les haricots 5 minutes dans une casserole d'eau bouillante. Retirer et égoutter. Dans une poêle, faire revenir les haricots et l'ail dans une noix de beurre. Verser les jus d'agrumes et porter à ébullition. Incorporer le reste du beurre. Assaisonner. Laisser mijoter et retirer la préparation quand la sauce devient onctueuse.

Les haricots jaunes s'accordent à merveille avec tous les braisages.

* On peut blanchir les haricots jaunes quelques secondes et les servir froids en salade. C'est divin!

Salade de haricots jaunes et cresson à la moutarde

25 min

2 t. de haricots jaunes
1 échalote française, ciselée
1 filet d'huile d'olive
1 c. à soupe de vinaigre
    de vin rouge

2 c. à soupe de moutarde
    à l'ancienne
¼ t. de crème à cuisson 35 %
Sel et poivre
1 t. de cresson

PRÉPARATION : Cuire les haricots 5 minutes dans une casserole d'eau bouillante. Retirer et égoutter. Dans une poêle, faire revenir l'échalote dans l'huile d'olive. Déglacer avec le vinaigre de vin rouge. Ajouter la moutarde et la crème. Incorporer les haricots jaunes. Assaisonner. Remuer. Déposer la préparation dans un saladier et mélanger avec le cresson. Savourer tiède.

Une excellente combinaison avec les plats de poisson.

* Le haricot jaune est sucré tandis que le vert est plus amer. Les haricots sont à maturité quand ils se cassent avec les doigts!

Fagots de haricots verts au choix

⏱ 30 min

3 t. de haricots verts
2 c. à soupe de beurre
1 filet d'huile d'olive
1 gousse d'ail, hachée
Sel et poivre

AU CHOIX :
2 poivrons rouges
Ou 1 botte de ciboulette
Ou 6 tranches de bacon

PRÉPARATION : Blanchir les haricots dans une casserole d'eau bouillante avec une pincée de sel. Retirer et égoutter. Dans une grande poêle, les faire revenir rapidement dans le beurre et l'huile d'olive. Incorporer l'ail. Saler et poivrer. Confectionner des petits fagots en les enroulant soit d'une lanière de poivron préalablement grillée, de quelques tiges de ciboulette ou encore d'une tranche de bacon. Cuire les fagots au four 10 à 15 minutes à 170 °C/375 °F.

Le haricot vert est passe-partout. Les poissons et les viandes l'affectionnent particulièrement.

* On dit que le haricot vert est en fait une gousse immature. On le retrouve sur le marché frais, surgelé ou en conserve.

Haricots verts et morilles sautés

⏱ 35 min

2 t. de haricots verts
½ t. de morilles sèches
1 noix de beurre
1 filet d'huile d'olive
1 panais, en dés
1 échalotte ciselée

1 gousse d'ail, hachée
¼ t. de vin blanc
Sel et poivre
1 c. à soupe de tomate confite hachée

PRÉPARATION : Blanchir les haricots verts 1 à 2 minutes dans une casserole d'eau bouillante. Retirer et égoutter. Faire tremper les morilles dans de l'eau. Bien les nettoyer afin de retirer le sable. Émincer les morilles. Dans une poêle, déposer le beurre et l'huile d'olive. Ajouter le panais. Incorporer l'échalote et l'ail. Déglacer au vin blanc. Assaisonner et laisser mijoter. Terminer en ajoutant les morilles, les haricots et la tomate confite. Bien faire revenir le tout et savourer chaud.

L'accompagnement du temps des fêtes par excellence avec la dinde.

* Le haricot vert mange-tout est celui qui n'a pas de fil (appelé parchemin) sur le pourtour.

Omelette de haricots verts à la provençale

 (horloge)
20 min

1 t. de haricots verts
½ courgette, finement tranchée
1 noix de beurre
1 filet d'huile d'olive
1 échalote, ciselée

1 gousse d'ail, hachée
½ t. de tomates concassées
3 c. à soupe de basilic frais, haché
Sel et poivre
6 œufs

PRÉPARATION : Cuire les haricots verts dans une casserole d'eau bouillante. Retirer et égoutter. Couper en petits morceaux. Dans une grande poêle, faire revenir la courgette dans le beurre et l'huile d'olive. Ajouter l'échalote, l'ail, les haricots verts et les tomates concassées. Une fois les légumes cuits, incorporer le basilic et assaisonner. Battre les œufs et les verser sur la préparation. Cuire l'omelette 5 à 6 minutes de chaque côté.

 Un vrai délice avec les volailles.

* On retrouve sur le marché le haricot vert extra fin et aussi l'extra long!

LAITUE

Cœur de laitue aux bonbons d'ail confit

 (horloge)
30 min

❄

½ t. d'ail confit
(voir recette page 26)
1 filet d'huile d'olive
1 filet de vinaigre de vin rouge

Sel et poivre
1 cœur de laitue pommée
1 échalote française, ciselée
1 t. de croustilles de pomme de terre maison

PRÉPARATION : Dans un bol, déposer l'ail confit pelé. Verser l'huile d'olive et le vinaigre de vin afin de confectionner la vinaigrette. Assaisonner. Nettoyer la laitue et incorporer les feuilles de celle-ci dans le bol. Remuer le tout et ajouter l'échalote. Disposer les croustilles de pommes de terre sur la salade. Servir.

Une salade qui s'accorde très bien avec toutes les viandes froides, mais aussi avec les grillades au barbecue.

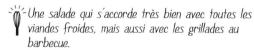

* On retrouve le plus souvent la laitue en hors-d'œuvre froid, mais elle se consomme aussi cuite et en potage.

Petits farcis à la laitue

40 min

1 laitue pommée
1t. de champignons
    de Paris, hachés
1 oignon
¼ t. d'huile d'olive
Poivre et sel
$1/3$ t. de vin blanc
2 échalotes françaises,
    ciselées

3 tomates bien mûres,
    en morceaux
1 c. à soupe de concentré
    de tomates
$1/3$ t. d'olives vertes
    et noires, dénoyautées
1 feuille de laurier
1 tige de thym
8 feuilles de basilic frais

PRÉPARATION : Laver les feuilles de la laitue et blanchir 3 minutes dans une casserole d'eau bouillante. Plonger ensuite dans un bol d'eau froide additionnée de glaçons. Dans une casserole, faire suer les champignons et l'oignon dans un filet d'huile d'olive. Saler et poivrer. Verser le vin banc et laisser cuire jusqu'à évaporation du jus de cuisson. À l'aide d'une petite cuillère, farcir 16 feuilles de laitue blanchie avec la préparation de champignons. Dans une casserole, faire revenir les échalotes et les tomates dans un filet d'huile d'olive. Saler et poivrer et laisser cuire environ 15 minutes à feu doux. Passer au tamis et remettre à cuire en y incorporant le concentré de tomates, les olives, le laurier, le thym et le basilic. Déposer au centre d'une assiette une grosse cuillerée de sauce tomate et déposer tout autour les farcis de laitue et champignons.

Ces petits farcis feront bon ménage avec les filets de poissons blancs ainsi que les petits plats de viandes mijotés.

* Pour conserver l'éclat des feuilles de laitue, les faire blanchir quelques secondes puis les tremper dans de l'eau glacée.

Poêlée de pois cassés au cœur de laitue

RECETTE : Voir page 109.

Romaine juste saisie, pesto de romaine et roquette

30 min

1 laitue romaine
1 t. de roquette
$1/3$ t. de parmesan râpé
$1/3$ t. de noix de pin,
    torréfiées

½ t. d'huile d'olive
Pesto, au goût
Sel et poivre

PRÉPARATION : Laver et diviser la romaine en 2. Émincer la salade grossièrement. Mélanger la moitié de la romaine avec la roquette. Incorporer le parmesan, les noix de pin, un filet d'huile d'olive et le pesto. Assaisonner. Dans une grande poêle, faire saisir rapidement la dernière moitié de romaine dans un filet d'huile d'olive et mélanger à la première préparation.

Accompagne parfaitement un grand choix de viandes grillées au barbecue.

* Trop souvent utilisée uniquement pour les salades César, la salade romaine se consomme crue ou cuite. Elle est excellente braisée avec du jus de citron.

LENTILLES

Lentilles aux carottes et curcuma

30 min

2 t. de lentilles vertes
½ oignon haché
1 filet d'huile d'olive
1 t. de tomates concassées
1 c. à soupe de concentré de tomates
1 carotte, en rondelles
½ c. à thé de curcuma
Sel et poivre

PRÉPARATION : Faire tremper les lentilles dans un bol d'eau froide pendant quelques heures. Dans une poêle, faire revenir l'oignon dans l'huile d'olive. Incorporer les tomates concassées et le concentré de tomate. Ajouter les lentilles et recouvrir d'eau. Compléter avec les carottes et le curcuma. Assaisonner. Faire mijoter 25 à 30 minutes à feu moyen. Servir.

Les lentilles sont excellentes avec la viande braisée et le poisson cuit au four.

* Les lentilles sont les légumineuses les plus digestes. Elles se consomment aussi en salade. Il existe plusieurs variétés et couleurs.

MÂCHE

Mâche aux copeaux de parmesan et soya

15 min

1 t. de germes de soya
¼ t. d'huile d'olive
1 filet de vinaigre balsamique
2 t. de salade de mâche
1 c. à soupe de cajous
Sel et poivre
½ t. de copeaux de parmesan

M

PRÉPARATION : Dans une poêle, faire revenir les germes de soya dans un filet d'huile d'olive puis assaisonner. Déposer dans un bol le vinaigre balsamique et l'huile d'olive pour réaliser la vinaigrette. Mélanger les germes de soya avec la mâche puis incorporer les cajous. Terminer l'assaisonnement et parsemer de copeaux de parmesan.

 Exquis avec les viandes et jambons fumés. Un vrai bonheur avec une tranche de foie gras et quelques fines tranches de magret de canard fumé.

* La mâche est une salade du temps des fêtes. Succulente avec des noix pour accompagner un beau plateau de fromages.

MAÏS

35 min

Blé d'Inde en papillotes

4 à 6 épis de maïs
2 échalotes françaises, ciselées
¼ t. de vin blanc

3 c. à soupe de beurre
1 c. à thé de curry en poudre
Sel et poivre

PRÉPARATION : Cuire les épis de maïs 5 à 10 minutes dans une grande casserole d'eau bouillante. Retirer et égoutter. Égrener les épis à l'aide d'un couteau. Préparer 4 feuilles d'aluminium en carrés. Déposer une portion de maïs au centre de chaque feuille. Ajouter une portion d'échalotes sur le maïs et puis verser sur le dessus une portion de vin blanc. Ajouter une noix de beurre. Assaisonner. Parfumer avec le curry. Verser quelques gouttes d'eau sur le tout puis plier chacune des feuilles pour former des papillottes. Cuire au four 15 à 20 minutes à 170 °C/325 °F ou directement sur le barbecue.

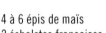 *Un vrai délice estival pour accompagner toutes les grillades de viande.*

* Le maïs est riche en protéines. De nombreuses variétés apparaissent en saison dans les marchés, du simple jaune aux plus colorés!

30 min

Lait de maïs à la coriandre

3 épis de maïs
2 t. de lait
Sel et poivre
2 gousses d'ail, hachées

1 échalote française, ciselée
2 c. à soupe de beurre
2 c. à soupe de coriandre fraiche, hachée

PRÉPARATION : Cuire les épis de maïs 5 à 10 minutes dans une grande casserole d'eau bouillante. Retirer et égoutter. Égrainer les épis à l'aide d'un couteau. Déposer les grains de 2 épis dans une casserole et les recouvrir de lait. Assaisonner et porter à ébullition. Dans une poêle, faire revenir le maïs restant avec l'ail et l'échalote dans le beurre. Dans un mélangeur, mixer les deux préparations en incorporant la coriandre. Filtrer et assaisonner.

Un accompagnement subtil pour les filets de poisson, mais aussi pour les viandes blanches.

* On peut cuisiner le maïs de plusieurs façons. Si on ajoute à cette recette une tasse de purée de pommes de terre et 6 blancs d'œufs montés en neige, on obtient un fabuleux soufflé de maïs.

Poêlée de maïs aux minicarottes

30 min

1 t. de minicarottes
1 filet d'huile d'olive
2 échalotes françaises, ciselées
1 gousse d'ail, hachée
1 t. de maïs en conserve

¼ t. de vin blanc
½ t. de tomates concassées
1 c. de concentré de tomates
Sel et poivre
1 c. à soupe de persil haché
½ t. d'eau

PRÉPARATION : Dans une poêle, faire revenir les carottes dans l'huile d'olive. Ajouter les échalotes et l'ail. Incorporer le maïs. Déglacer avec le vin blanc et incorporer les tomates concassées et le concentré de tomates. Assaisonner et parsemer de persil haché. Ajouter l'eau. Laisser mijoter 10 à 15 minutes à feu doux.

Parfait pour accompagner rapidement votre repas de poisson ou de viande de dernière minute.

* Le maïs est extraordinaire préparé en omelette. Il suffit de casser quelques œufs et de les ajouter à cette recette pour obtenir une omelette exquise!

Polenta de patate douce au fromage

RECETTE : Voir page 100.

Purée de panais et maïs soufflé

RECETTE : Voir page 100.

NAVET

Mousseline de navet et pommes de terre

30 min

3 pommes de terre,
en morceaux
1 navet, en morceaux

Sel et poivre
1 filet d'huile d'olive

PRÉPARATION : Cuire les pommes de terre et le navet dans une casserole d'eau bouillante. Égoutter (conserver l'eau de cuisson) et passer les 2 légumes au presse-purée ou dans un tamis pour un résultat plus fin. Dans une casserole, déposer la purée. Assaisonner et verser un peu d'eau de cuisson. Cuire à feu doux en remuant constamment à l'aide d'une spatule. Verser le filet d'huile d'olive peu à peu en remuant jusqu'à l'obtention d'une mousseline lisse et onctueuse.

Un accompagnement simple et délicieux pour les poissons et viandes cuites au four.

*Le navet est un des ingrédients incontournables pour réussir un pot-au-feu ou un couscous savoureux.

Navets glacés à l'orange

30 min

1 navet, en rondelles
1 c. à soupe de beurre
2 c. à soupe de sucre

1 ½ t. de jus d'orange
Sel et poivre

PRÉPARATION : Cuire le navet dans une casserole d'eau bouillante. Dans une poêle, déposer le beurre et le sucre. Faire fondre puis incorporer le navet. Cuire et colorer des 2 côtés. Verser le jus d'orange et laisser mijoter à feu doux. Assaisonner. Faire glacer les rondelles en les retournant de temps en temps. Servir chaud.

Le navet cuisiné de cette façon sera extraordinaire avec un canard à l'orange.

* Les feuilles de navet sont également comestibles simplement préparées avec une noix de beurre.

Potage de navet et petits pois aux arachides

30 min

1 navet, en morceaux
1 ½ t. de bouillon de
légumes
1 t. de crème à cuisson 15 %

Sel et poivre
½ t. de petits pois
1 c. à soupe de beurre
¼ t. d'arachides, torréfiées

PRÉPARATION : Cuire le navet dans une casserole d'eau bouillante. Retirer et égoutter. Mettre le navet en purée et ajouter le bouillon de légumes et la crème. Assaisonner la préparation. Laisser mijoter quelques minutes à feu doux. Faire revenir les petits pois dans une poêle dans le beurre. Réserver. Concasser finement les arachides et les disposer sur le potage. Compléter avec les petits pois.

 Un très bel accord avec les viandes blanches.

* *Il existe des navets jaunes et des navets noirs.*

OIGNON

Confiture d'oignons à la grenadine

2 oignons, émincés
1 filet d'huile d'olive
2 c. à soupe de sucre

¼ t. de sirop de grenadine
1 c. à soupe de vinaigre
   blanc
Sel et poivre

20 min

PRÉPARATION : Dans une grande casserole, faire revenir l'oignon dans l'huile d'olive jusqu'à coloration. Remuer continuellement et verser le sucre ainsi que le sirop de grenadine. Laisser mijoter 10 à 15 minutes à feu doux. Retirer, verser le vinaigre et assaisonner. Refroidir avant de consommer.

 Irremplaçable pour accompagner les charcuteries!

* *Plusieurs oignons sont offerts sur le marché : les tendres, les blancs, les jaunes et les rouges.*

Croustillant d'oignons et tomates confites

2 oignons, émincés
1 noix de beurre
2 filets d'huile d'olive
Sel et poivre

3 feuilles de brick
½ t. de tomates confites
Quelques feuilles de basilic

30 min

PRÉPARATION : Dans une poêle, faire revenir les oignons dans le beurre et un filet d'huile d'olive. Assaisonner. Diviser les feuilles de brick en 2. Déposer sur le haut d'une des extrémités une portion d'oignons caramélisés et les étaler. Ajouter des tomates confites sur le dessus et recouvrir de quelques feuilles de basilic. Enrouler la préparation comme un cigare. Badigeonner d'huile d'olive. Cuire au four 10 minutes à 180 °C/350 °F.

💡 *Délicieux à manger avec les doigts. Parfait pour le poulet et les côtes levées.*

* *Il est important de ne pas couper les oignons trop à l'avance car ils perdent vite leur saveur.*

Perles d'oignons grelots caramélisés

1 t. d'oignons grelots
1 t. d'eau
2 c. à soupe de beurre

½ c. à thé de sel
1 c. à soupe de sucre
Sel et poivre

25 min

PRÉPARATION : Dans une poêle, déposer les oignons grelots et l'eau. Porter à ébullition et incorporer le beurre, le sel et le sucre. Laisser mijoter à feu doux jusqu'à évaporation de l'eau. Une fois les oignons caramélisées, retirer et assaisonner.

💡 *Parfait pour accompagner tous les plats en sauce et civets. Un délice avec les rôtis et charcuteries.*

* *Pour éplucher les oignons grelots rapidement, les tremper d'abord 10 minutes dans l'eau.*

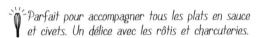

Soupe gratinée à l'oignon

3 oignons, émincés
1 filet d'huile d'olive
¼ t. de fond brun

Sel et poivre
Croûtons de pain
Gruyère râpé, au goût

40 min

PRÉPARATION : Dans une grande casserole, faire revenir l'oignon dans l'huile d'olive. À coloration, verser le fond brun et ajouter 3 fois sa quantité d'eau. Assaisonner et laisser mijoter 25 à 30 minutes à feu élevé. Verser la soupe dans des bols allant au four. Recouvrir de croûtons de pain dur sur toute la surface. Parsemer de gruyère. Cuire au four à *broil* pour gratiner. Déguster bien chaud.

💡 *Effilocher les restes de viande braisée ou rôtis et les incorporer à la soupe. C'est tout à fait délicieux.*

* *L'oignon se mange cru et cuit. Il n'existe pas réellement de moyen pour empêcher l'irritation des yeux lorsqu'on le coupe. C'est le résultat d'une réaction chimique. Tremper les oignons dans l'eau froide avant de les couper réduit un peu l'effet irritant.*

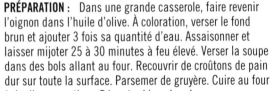

Tian de légumes

RECETTE : Voir page 35.

OLIVE

Cake aux olives et au jambon

4 œufs
½ t. de vin blanc
1 t. d'huile d'olive
1 t. de gruyère râpé
1 t. de jambon cuit, en dés

1 t. d'olives, dénoyautées
1 c. à soupe de poudre
  à pâte
1 t. de farine
Sel et poivre

35 min

PRÉPARATION : Dans un grand bol, casser les œufs. Ajouter le vin blanc. Battre et verser l'huile d'olive. Bien mélanger la préparation à l'aide d'un fouet. Incorporer le gruyère râpé, le jambon et les olives. Dans un autre bol, mélanger la poudre à pâte et la farine. Incorporer peu à peu dans la préparation d'œufs. Assaisonner. Remplir des moules à cake individuels ou grand format. Cuire au four pendant 25 à 35 minutes à 190 °C/375 °F.

☀︎-*En plus d'accompagner à merveille vos bouchées 5 à 7, le cake aux olives s'accorde avec toutes sortes de jambon et viandes froides.*

* *Ne pas hésiter à composer des cakes gourmands à base de poisson, viande ou 100 % végétarien.*

Fenouil confit et olives

RECETTE : Voir page 79.

Sauté de fèves noires, coriandre et olives

RECETTE : Voir page 81.

Tapenade de céleri branche et olives vertes

RECETTE : Voir page 50.

ORGE

Orgeotto au parmesan

1 t. d'orge perlé
1 échalote française, ciselée
2 c. à soupe de beurre

3 t. de bouillon de légumes
Sel et poivre
½ t. de parmesan

30 min

PRÉPARATION : Cuire l'orge dans une casserole d'eau bouillante. Retirer et égoutter. Dans une poêle, faire revenir l'échalote dans le beurre. Incorporer l'orge cuit et verser peu à peu le bouillon de légumes afin de monter l'orgeotto comme un risotto. Remuer continuellement et assaisonner. Terminer la préparation en ajoutant le parmesan. Servir l'orgeotto bien crémeux.

L'orgeotto aura tout autant de succès qu'un risotto. Il accompagne facilement les crustacés, les poissons et les viandes.

* C'est l'orge perlé que l'on utilise le plus souvent en cuisine.

OSEILLE

Feuilles d'oseille et crème d'échalotes

2 t. de feuilles d'oseille
¾ t. d'échalotes, ciselées
2 c. à soupe de beurre

1 t. de crème à cuisson 35 %
Sel et poivre

25 min

PRÉPARATION : Plonger les feuilles d'oseille quelques secondes dans une casserole d'eau bouillante. Retirer et égoutter. Dans une poêle, faire revenir les échalotes dans le beurre. À coloration, verser la crème et assaisonner. Incorporer les feuilles d'oseille et laisser mijoter 5 minutes à feu doux. Servir.

L'oseille s'accorde parfaitement avec les poissons gras. Un must avec le saumon!

* Seules les feuilles de l'oseille sont comestibles.

PAK CHOÏ

Pak choï mijotés à l'anis étoilé

3 choux pak choï
2 c. à soupe de beurre
¼ t. de jus d'orange

3 anis étoilés
Sel et poivre

30 min

PRÉPARATION : Cuire les choux 5 à 10 minutes dans une casserole d'eau bouillante. Retirer et égoutter. Dans une poêle, faire colorer les pak choï dans le beurre. Verser le jus d'orange et ajouter les anis étoilés. Recouvrir d'eau et assaisonner. Laisser mijoter pour faire glacer les choux. Retirer les anis étoilés avant de servir.

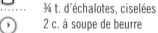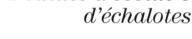

Très bel accord surprenant avec tous les poissons.

* *Le pak choï, ou bok choï, est une variété de chou chinois.*

PANAIS

Gratin de panais et carottes

1 c. à soupe de beurre
2 gousses d'ail, hachées
½ t. de lait
1 t. de crème à cuisson 35 %

Sel et poivre
2 carottes, en rondelles fines
2 panais, en rondelles fines

30 min

PRÉPARATION : Dans une casserole, faire fondre le beurre avec l'ail et verser le lait et la crème. Assaisonner la préparation. Dans un plat à gratin, mettre les légumes et verser la préparation. Cuire au four 20 à 30 minutes à 190 °C/375 °F.

 À découvrir! L'accompagnement passe-partout pour les réceptions. Les poissons et les viandes seront mis en valeur.

* *Tout comme la carotte, le panais peut être servi cru et rapé.*

Panacotta de panais et gelée d'oseille

3 panais, en rondelles
1 ½ t. de crème 35 %
1 ½ t. de lait

6 feuilles de gélatine
Sel et poivre
1 bouquet d'oseille

45 min

PRÉPARATION : Cuire les panais dans une casserole d'eau bouillante. Retirer et égoutter. Mixer à l'aide d'un mélangeur à main. Dans une casserole, remettre la purée à cuire avec la crème et le lait. Filtrer. Dans un bol d'eau, tremper 3 feuilles de gélatine et les incorporer à la préparation chaude. Assaisonner. Verser dans des ramequins individuels. Faire pocher l'oseille dans une tasse d'eau chaude. Mixer. Filtrer le jus d'oseille. Y incorporer les 3 autres feuilles de gélatine. Une fois les panacotta de panais gélifiés, déposer quelques cuillérées de gelée d'oseille sur le dessus. Servir frais.

 Excellent avec les fruits de mer.

* *Dans le cas d'un panacotta de légumes, prévoir 5 à 6 feuilles de gélatine par litre (4 tasses).*

P

Panais braisé aux petits oignons

3 panais, en rondelles
1 t. d'oignons grelots
3 c. à soupe de beurre

1 c. à soupe de sucre
Sel et poivre

35 min

PRÉPARATION : Blanchir les panais 5 minutes dans une casserole d'eau bouillante. Retirer et égoutter. Dans une poêle, déposer le panais, les oignons, le beurre ainsi que le sucre puis recouvrir d'eau. Assaisonner. Laisser mijoter 25 à 30 minutes à feu doux. Servir.

Parfait pour accompagner les civets et les poissons cuits au four.

* Pour réaliser un un plat complet, incorporer quelques morceaux de viande d'agneau avec une tomate concassée et faire mijoter le tout avec un peu d'eau et de vin blanc.

Purée de panais et maïs soufflé

2 panais, en rondelles
¼ t. de crème 15 %
1 c. à soupe de beurre

Sel et poivre
¼ t. de maïs à éclater
1 filet d'huile d'olive

25 min

PRÉPARATION : Cuire les panais dans une casserole d'eau bouillante. Retirer et égoutter. Mixer à l'aide d'un mélangeur à main. Incorporer la crème et le beurre à la purée. Assaisonner. Dans une casserole à couvercle fermé, démarrer la cuisson de maïs à éclater avec un filet d'huile d'olive. Assaisonner. Servir la purée de panais et parsemer de maïs soufflé.

Surprenant pour accompagner la poitrine de volaille au jus.

* La polenta est faite à base de maïs, mélanger les deux s'avère tout aussi intéressant en goût et en texture.

PATATE DOUCE

Polenta de patate douce au fromage

1 grosse patate douce
2 t. de lait
1 gousse d'ail, hachée

1 t. de polenta de maïs
Sel et poivre
½ t. de gruyère râpé

35 min

PRÉPARATION : Cuire la patate douce pelée dans une casserole d'eau bouillante. Mixer à l'aide d'un mélangeur à main. Dans une casserole, verser le lait et ajouter l'ail haché. Porter à ebullition. Incorporer la polenta en remuant continuellement. Ajouter la purée de patate douce au mélange et assaisonner. Incorporer le gruyère. Remuer. Servir chaud.

 Un vrai délice avec les volailles rôties.

* *La patate douce se cuisine de multiples façons. Elle est savoureuse cuite à l'eau, au four ou frite. On la retrouve tout aussi bien dans les préparations salées que sucrées.*

Purée de citrouille et patates douces

RECETTE : Voir page 66.

PÂTISSON

Ragoût de pâtissons aux pommes de terre rouges

40 min

2 pommes de terre rouges	½ t. d'eau
2 t. de pâtissons	1 c. à soupe de concentré
½ oignon, émincé	de tomates
1 gousse d'ail, hachée	1 t. de tomates concassées
1 branche de celeri, émincé	Sel et poivre
1 filet d'huile d'olive	1 c. à soupe de coriandre
½ t. de vin blanc	fraîche, hachée

PRÉPARATION : Cuire les pommes de terre lavées, coupées en morceaux non pelées dans une casserole d'eau bouillante. Ajouter les pâtissons entiers. Retirer et égoutter. Dans une poêle, faire revenir l'oignon, l'ail et le céleri dans l'huile d'olive. Incorporer les pommes de terre et pâtissons. À coloration, déglacer avec le vin blanc et rajouter l'eau. Verser le concentré de tomates et les tomates concassées. Assaisonner. Terminer avec la coriandre. Laisser mijoter 15 à 20 minutes à feu doux.

 Accompagne parfaitement les civets, les braisés et les poissons cuits en sauce.

* *Le pâtisson est facile à reconnaître avec sa forme unique de couronne. Il en existe des petits et des gros. De la famille de la courge, son goût se rapproche plutôt de celui de l'artichaut.*

P

40 min

PERSIL

Beignets de potiron au persil

1 t. de potiron, en morceaux	½ t. de persil plat
½ t. de purée de pommes de terre	Sel et poivre
1 t. de lait	1 t. de chapelure de pain
3 gousses d'ail, hachées	1 bain d'huile végétale, pour friture

PRÉPARATION : Cuire le potiron dans une casserole d'eau bouillante. Retirer et égoutter. Mixer à l'aide d'un mélangeur à main. Incorporer la purée de pommes de terre. Dans un bol, faire chauffer le lait avec l'ail et le persil. Ajouter aux purées. Remuer. Assaisonner. Confectionner des quenelles à l'aide de deux cuillères et les enrober de chapelure. Dans un bain à friture bien chaud, faire colorer les beignets. Les déposer sur un papier absorbant avant de les servir chauds.

Le potiron est passe-partout avec les viandes et les poissons.

* De nombreuses recettes méditerranéennes sont composées de persil. Il faut essayer le taboulé libanais !

25 min

Brunoise de pommes de terre en persillade

1 grosse pomme de terre, en petits cubes	3 gousses d'ail, hachées
1 filet d'huile d'olive	½ t. de persil frisé, haché
1 échalote française, ciselée	Sel et poivre

PRÉPARATION : Dans une poêle, faire revenir les pommes de terre dans l'huile d'olive. À coloration, déposer l'échalote. Mélanger l'ail et le persil puis les incorporer. Assaisonner. Servir.

Un incontournable pour accompagner tous les plats de viandes, peu importe la méthode de cuisson.

* Une persillade est extraordinaire sur les coquillages avec du beurre, sur les steaks de viande, mais aussi avec les accompagnements de légumes et de poissons.

35 min

Clafoutis aux racines de persil et persil

1 racine de persil
6 œufs
2 t. de lait
Sel et poivre

2 c. à soupe de farine
1/3 t. de persil, haché
1 gousse d'ail, hachée

PRÉPARATION : Peler la racine de persil et cuire dans une casserole d'eau bouillante. Retirer et égoutter. Mixer à l'aide d'un mélangeur à main. Dans un bol, battre les œufs et verser le lait. Assaisonner. Incorporer la farine, la purée de racine de persil et l'ail. Bien mélanger la préparation. Remplir des ramequins individuels. Cuire au four environ 20 à 25 minutes à 170 °C/ 325 °F. Servir chaud.

 Parfait avec les poissons blancs.

* Le persil est très bon pour la santé, il est même considéré comme une plante médicinale.

30 min

Mousse de persil et rapinis

2 t. de rapinis
2 échalotes françaises, ciselées
3 gousses d'ail, hachées
1 filet d'huile d'olive

1 t. de persil, haché
5 œufs
1 tasse de crème à cuisson 35 %
Sel et poivre

PRÉPARATION : Blanchir les rapinis dans une casserole d'eau bouillante. Retirer et égoutter. Dans une poêle, faire revenir les rapinis, les échalotes et l'ail dans l'huile d'olive. Ajouter le persil et incorporer les œufs et la crème. Assaisonner. Remplir des ramequins individuels. Placer les ramequins dans un plat allant au four contenant de l'eau chaude. Cuire au four au bain-marie 20 à 25 minutes à 190 °C /375 °F.

 Un délice avec les poissons et les fruits de mer.

* Le persil est à la fois un accompagnement, un assaisonnement et un condiment.

Civet de petits pois tomatés, carottes et œufs pochés

⏱ 45 min

2 échalotes, ciselées
3 gousses d'ail, hachées
1 filet d'huile d'olive
3 t. de petits pois
1 carotte, en rondelles
2 t. de tomates concassées

2 c. à soupe de concentré
   de tomates
1 branche de thym frais
5 à 6 tasses d'eau
Sel et poivre
4 à 6 œufs

PRÉPARATION : Dans une grande poêle, faire revenir les échalotes et l'ail dans l'huile d'olive. Ajouter les petits pois et les carottes. À coloration, verser les tomates concassées et le concentré de tomates puis déposer la branche de thym. Verser l'eau puis assaisonner. Laisser mijoter 25 à 30 minutes à feu doux. Dans une casserole d'eau bouillante, faire pocher les œufs un à un. Ajouter les œufs pochés à la préparation au moment de servir.

💡 *Un accord excellent avec les gigots. Faire cuire des pièces de porc dans cette préparation, l'agrémenter de quelques tranches de bacon... Succulent!*

* *Plusieurs variétés de petits pois sont disponibles sur le marché: sucrés, mange-tout, etc.*

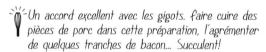

Écrasée de pommes de terre rattes et petits pois

⏱ 40 min

2 t. de pommes de terre
   rattes
1 t. de petits pois
4 échalotes françaises,
   ciselées

¼ t. de graisse d'oie
Sel et poivre

PRÉPARATION : Cuire les pommes de terre rattes entières et non pelées dans une casserole d'eau bouillante. Faire blanchir les petits pois 1 à 2 minutes dans la même casserole. Couper les pommes de terre en rondelles une fois cuites. Dans une poêle, faire revenir les échalotes dans la graisse d'oie. Incorporer les pommes de terre et les faire colorer. Écrasez-les partiellement à l'aide d'une fourchette et ajouter les petits pois. Assaisonner.

💡 *Cette purée légèrement épicée rehausse à merveille les gigots.*

* *Bel accord d'accompagnement pour les poissons avec une sauce citronnée, un jus de civet ou un fond pour les viandes.*

Potage de navet et petits pois aux arachides

RECETTE : Voir page 94.

Purée de petits pois

4 t. de petits pois
2 gousses d'ail, écrasées
½ c. à thé de pâte à piment

1 c. à soupe de beurre
2 ½ t. de crème 15 %
Sel et poivre

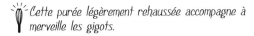

20 min

PRÉPARATION : Blanchir les petits pois dans une casserole d'eau bouillante. Retirer et égoutter. Dans une poêle, faire revenir l'ail et la pâte de piment dans le beurre. Verser la crème. Assaisonner. Laisser mijoter 15 à 20 minutes à feu doux. Mixer la préparation à l'aide d'un mélangeur à main. Servir chaud.

💡 *Cette purée légèrement rehaussée accompagne à merveille les gigots.*

* *Frais, surgelés ou en conserve, les petits pois sont toujours aussi savoureux.*

Ragoût de gourganes séchées, saucisses et petits pois

RECETTE : Voir page 83.

POIREAU

Blancs de poireaux au beurre blanc

3 blancs de poireaux
½ t. d'échalotes françaises, ciselées
½ t. de beurre

½ t. de vinaigre blanc
½ t. de crème à cuisson 35 %
Sel et poivre

40 min

PRÉPARATION : Cuire les blancs de poireaux dans une casserole d'eau bouillante. Retirer et égoutter. Dans une casserole, faire revenir les échalotes dans une noix de beurre. Verser aussitôt le vinaigre blanc. Faire réduire des trois quarts et ajouter peu à peu le beurre à feu doux. Filtrer et remettre en cuisson avec la crème. Assaisonner. Laisser mijoter 10 minutes. Terminer la cuisson des blancs de poireaux en les incorporant au beurre blanc.

Un vrai plaisir pour les papilles en accompagnement des poissons.

* *Les verts de poireaux sont à conserver. Ils seront bien utiles dans la préparation des soupes ou des bouquets garnis pour démarrer la cuisson des rôtis.*

Gratin de poireaux et bettes à carde

35 min

1 gousse d'ail, hachée	2 poireaux, en rondelles
2 échalotes françaises, ciselées	1 t. de feuilles de bettes à carde
2 c. à soupe de beurre	Sel et poivre
2 t. de bettes à carde, en morceaux	2 t. de crème à cuisson 35 %
	1 t. de gruyère râpé

PRÉPARATION : Dans une grande poêle, faire revenir l'ail et les échalotes dans le beurre. Ajouter les poireaux, les bettes à carde et les feuilles. Assaisonner. Verser la crème. Placer la préparation dans un plat à gratin. Cuire au four 25 à 30 minutes à 190 °C/375 °F. Parsemer de gruyère et faire gratiner à *broil*. Servir chaud.

Un délice facile et rapide à faire pour accompagner crustacés et poissons pochés.

* *Le poireau est un légume facile à accorder en cuisson avec d'autres légumes, poissons ou viandes. Il faut absolument essayer ce gratin avec de la morue et quelques tranches de bacon.*

Lasagne d'épinards et poireau aux fines herbes

RECETTE : Voir page 77.

Poireau en julienne frit

1 poireau
1 bain d'huile végétale,
    pour friture
Sel et poivre

10 min

PRÉPARATION : Laver le poireau et le diviser en 2 dans le sens de la longueur. À l'aide d'un couteau, le couper en longs bâtonnets et faire une fine julienne. Mettre à chauffer le bain d'huile. Y plonger le poireau. Retirer dès coloration. Saler et poivrer.

Croustillant à souhait et toujours apprécié avec le poisson ou les blancs de volaille.

* Faire très attention au débordement de l'huile une fois la julienne plongée. Faire de petites quantités à la fois pour éviter dégâts ou accidents.

Ravioles de poireau aux tomates cerises et girolles (chanterelles)

1 t. de tomates cerises
1 t. d'huile d'olive
Sel et poivre
1 t. de girolles
2 échalotes françaises,
    ciselées

¼ t. de noix de pin, torréfiées
1 poireau, en rondelles
2 c. à soupe de beurre
1 t. de crème à cuisson 35 %
1 paquet de pâtes won ton
2 œufs

45 min

PRÉPARATION : Dans une casserole, confire les tomates cerises dans un filet d'huile d'olive. Saler et poivrer. Réserver. Dans une poêle, cuire les girolles, les échalotes et les noix de pin dans un peu d'huile d'olive. Assaisonner. Réserver. Dans une autre poêle, cuire le poireau dans le beurre. Assaisonner et verser la crème. Laisser mijoter 10 à 15 minutes à feu doux. Étaler les feuilles à pates won ton. Placer au centre de chacune 1 c. à soupe de poireau cuit. Dans un bol casser les œufs et les battre. À l'aide d'un pinceau, badigeonner les pourtours de chacune des pâtes. Bien refermer les pâtes en pressant avec les doigts et obtenir des ravioles. Conserver au frais 15 à 20 minutes. Plonger les ravioles dans une casserole d'eau bouillante. Les retirer lorsqu'elles remontent à la surface. Dans une assiette creuse, déposer les ravioles et verser dessus la poêlée de girolles et les tomates cerises.

 Ce trio de légumes s'accorde parfaitement avec tous les plats. Un accompagnement goûteux!

* Le poireau fait partie de la famille des oignons. Le cuisiner assure toujours une réussite!

40 min

Velouté de poireau parmentier

1 poireau, en rondelles
2 grosses pommes de terre, pelées, en cubes
1 filet d'huile d'olive
4 t. d'eau

Sel et poivre
1 t. de gruyère râpé
2 t. de lait
1 noix de beurre
1 pincée de noix de muscade

PRÉPARATION : Dans une poêle, faire revenir le poireau et les pommes de terre dans l'huile d'olive. Ajouter l'eau. Assaisonner. Laisser mijoter à feu moyen jusqu'à cuisson des légumes. Mixer la préparation à l'aide d'un mélangeur à main. Incorporer le gruyère et le lait. Assaisonner et ajouter une noix de beurre. Parfumer avec la muscade. Servir chaud.

 Un très bon velouté à lui seul. Ajouter des viandes confites comme le canard pour obtenir un repas savoureux et complet.

* Le poireau se décline de plusieurs façons, et ce, tout au long de l'année. Les poireaux tendres en début de printemps sont exceptionnels. À consommer chaud ou froid en vinaigrette.

POIS CASSÉ

35 min

Compotée de pois cassés au cumin

3 t. de pois cassés
½ oignon, haché
½ carotte, en rondelles fines
1 filet d'huile d'olive

¼ t. de vin blanc
Sel et poivre
½ t. de crème à cuisson 35 %
½ c. à thé de cumin

PRÉPARATION : Cuire les pois cassés dans une grande casserole d'eau bouillante. Retirer et égoutter. Dans une poêle, faire revenir l'oignon et la carotte dans l'huile d'olive. Déglacer avec le vin blanc. Ajouter les pois cassés et recouvrir avec de l'eau. Assaisonner. Laisser mijoter 5 à 10 minutes à feu doux. Ajouter la crème. Mixer la préparation à l'aide d'un mélangeur à main. Saler et poivrer. Parfumer avec le cumin.

Pour rehausser les poissons et les viandes avec une pointe d'exotisme...

* En saison, il faut essayer les pousses et les vrilles de pois Elles apportent une note de fraîcheur légèrement sucrée aux salades. Attention, cependant, elles ne sont offertes qu'en saison.

Poêlée de pois cassés au cœur de laitue

2 t. de pois cassés
2 échalotes françaises, ciselées
1 gousse d'ail, hachée
1 filet d'huile d'olive
½ t. de tomates concassées

½ t. de concentré de tomates
2 ⅓ t. de vin blanc
Feuilles d'un cœur de laitue pommée
Sel et poivre

🕐 20 min

PRÉPARATION : Cuire les pois cassés dans une casserole d'eau bouillante. Retirer et égoutter. Dans une poêle, faire revenir les échalotes, l'ail et les pois cassés dans l'huile d'olive. Incorporer les tomates concassées et le concentré de tomates. Remuer la préparation et déglacer avec le vin blanc. Ajouter les feuilles de cœur de laitue et assaisonner. Servir chaud.

 Un accompagnement parfait pour les saucisses grillées. Un « légume-salade » très goûteux.

* Les pois cassés font partie de la famille des légumineuses. Cuire les pois cassés avec quelques morceaux de saucisses, couvrir d'eau et laisser mijoter. C'est délicieux!

POIS CHICHE

Purée de pois chiches à la coriandre et au chorizo

3 t. de pois chiches
1 gousse d'ail
2 échalotes françaises, ciselées
2 c. à soupe de beurre

Sel et poivre
½ t. de brisures de chorizo
3 c. à soupe de coriandre, hachée

🕐 35 min

PRÉPARATION : Cuire les pois chiches environ 20 minutes dans une casserole d'eau bouillante. Retirer et égoutter. Dans une poêle, faire revenir les pois, l'ail et les échalotes dans le beurre. Recouvrir d'eau et laisser mijoter 5 à 10 minutes à feu doux. Mixer la préparation et assaisonner. Dans une poêle, faire revenir les brisures de chorizo sans l'ajout de matière grasse. À coloration, ajouter la coriandre. Mélanger les deux préparations et servir chaud.

P

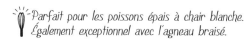 Parfait pour les poissons épais à chair blanche.
Également exceptionnel avec l'agneau braisé.

* Riche en protéines, le pois chiche se consomme chaud ou froid en salade. Il est l'ingrédient de base du populaire hummus.

POIS GOURMAND

Darioles de pois gourmands et asperges

35 min

2 échalotes, ciselées
1 gousse d'ail, hachée
1 c. à soupe de beurre
1 filet d'huile d'olive
2 t. de pois gourmands, en morceaux

1 t. d'asperges, en tronçons
2 t. d'eau
Sel et poivre
1/3 t. de crème à cuisson 35 %
3 œufs

PRÉPARATION : Dans une poêle, faire revenir l'éclalote et l'ail dans le beurre et l'huile d'olive. Ajouter les pois et les asperges. À coloration, verser l'eau. Laisser mijoter puis réduire. Mixer la préparation à l'aide d'un mélangeur à main et assaisonner. Ajouter la crème et les œufs battus. Mélanger le tout. Verser la preparation dans des ramequins individuels. Placer les ramequins dans un plat allant au four contenant de l'eau chaude. Cuire au four au bain-marie, 25 à 30 minutes à 180 °C/350 °F. Servir chaud.

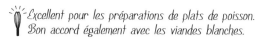 Excellent pour les préparations de plats de poisson.
Bon accord également avec les viandes blanches.

* Les pois gourmands doivent être jeunes et verts. Les conserver assez croquants à la cuisson afin qu'ils gardent tout leur arôme!

POIVRON

Feuilles de chicon et mousse de poivron rouge

RECETTE : Voir page 74.

Lanières de poivrons épicées

30 min

1 poivron rouge	2 c. à soupe de concentré de tomates
1 poivron vert	1 t. de tomates concassées
1 poivron jaune	1 t. d'eau
1 échalote française, ciselée	Sel et poivre
1 filet d'huile d'olive	1 c.à soupe de sauce Tabasco
1 gousse d'ail, hachée	

PRÉPARATION : Diviser les poivrons en 2, les évider puis les couper en lanières. Dans une poêle, faire revenir l'échalote dans l'huile d'olive. Incorporer les lanières de poivrons. Ajouter l'ail, le concentré de tomate et les tomates concassées. Verser l'eau. Laisser mijoter 20 à 25 minutes à feu doux. Assaisonner et terminer avec la sauce Tabasco.

 Très subtil et facile à réaliser, un accompagnement haut en couleur et en saveurs pour tous les filets de poissons et les volailles.

* Les poivrons révèlent leurs saveurs une fois grillés, farcis, poêlés, cuits au four ou marinés.

Mousseline de poivrons aux topinambours

40 min

3 poivrons rouges	2 c. à soupe de beurre
1 filet d'huile d'olive	¼ t. de crème 35 %
1 t. de topinambours	Sel et poivre

PRÉPARATION : Déposer les poivrons sur une plaque à cuisson et verser un filet d'huile d'olive sur chacun. Cuire au four 30 minutes environ à 190 °C/375 °F. Les placer dans un sac de plastique dès leur sortie du four; la peau s'en détachera immédiatement. Ne conserver que la chair du poivron. Réserver. Peler les topinambours et les cuire dans une casserole d'eau bouillante. Mixer les légumes à l'aide d'un mélangeur à main. Ajouter le beurre et la crème. Assaisonner.

 *Excellent avec les poissons. On peu également servir avec des pâtes.*

* On retrouve facilement sur les étals de marché, les poivrons jaunes, les rouges et les verts, les longs ou les petits piquants!

Poivrons farcis d'un riz aux courgettes

45 min

4 à 6 poivrons	1 t. de riz
1 oignon, haché	3 t. d'eau
1 filet d'huile d'olive	Sel et poivre
2 courgettes, en rondelles	½ t. de parmesan

PRÉPARATION : Couper les poivrons en 2 dans le sens de la longueur. Les vider et les poser dans un plat à cuisson. Dans une casserole, faire revenir l'oignon dans l'huile d'olive. Ajouter les courgettes. Verser le riz et l'eau. Assaisonner. Laisser mijoter pour le temps de cuisson du riz moins 5 minutes (finira de cuire au four). Incorporer le parmesan et remuer. Farcir les poivrons avec la préparation. Cuire au four 30 à 35 minutes à 190 °C/375 °F.

Un bel accompagnement méditerranéen pour poissons et viandes.

* Petit truc : verser un filet d'eau au fond du plat à cuisson des poivrons. L'humidité aidera à accélérer la cuisson.

POMME DE TERRE

Brunoise de pommes de terre en persillade

RECETTE : Voir page 102.

Écrasée de pommes de terre rattes et petits pois

RECETTE : Voir page 104.

Gnocchis de pommes de terre

35 min

2 t. de purée de pommes de terre	1 noix de beurre
	1 filet d'huile d'olive
Sel et poivre	1 t. de farine
3 jaunes d'œufs	

PRÉPARATION : Dans un bol, déposer la purée de pommes de terre fraîchement cuite. Assaisonner. Incorporer les jaunes d'œufs et le beurre. Ajouter l'huile d'olive. Bien mélanger et conserver cette préparation au frais 30 minutes environ. Additionner la farine et pétrir avec les mains afin d'obtenir une pâte bien homogène. Confectionner des petits boudins et les couper en morceaux. Les plonger dans une casserole d'eau bouillante. Attendre qu'ils montent à la surface et retirer.

Les gnocchis sont excellents accompagnés de tomates, de basilic ou de fromage bleu. Le mariage avec les poissons et les viandes est toujours une réussite.

* *Les pommes de terre sont riches en fécule. Elles sont parfaites pour les purées et les frites.*

Gnocchis de pommes de terre au chou romanesco

RECETTE : Voir page 64.

Gratin dauphinois

1 gousse d'ail, écrasée
1 c. à soupe de beurre
3 grosses pommes de terre, tranchées finement

½ t. de lait
½ t. de crème à cuisson 35 %
1 pincée de muscade
Sel et poivre

35 min

PRÉPARATION : Frotter le fond et les côtés d'un plat à gratin avec l'ail. Beurrer ensuite le plat en prenant soin de bien couvrir toute la surface. Disposer les tranches de pommes de terre en étages dans le plat. Réserver. Dans une casserole, verser le lait, la crème et la muscade. Assaisonner. Dès ébullition, retirer et verser sur les pommes de terre. Cuire au four 20 à 30 minutes à 190 °C/375 °F. Servir chaud.

Un classique en cuisine, il saura ravir toutes les pièces de viande.

* *Pour un gratin savoyard, parsemer la surface de gruyère râpé en surface. Cuire au four à broil pour gratiner.*

Mijoté de shiitakes aux pommes de terre grelots

RECETTE : Voir page 56.

Mousseline de navet et pommes de terre

RECETTE : Voir page 94.

45 min

Pommes de terre au four farcies aux câpres et aux échalotes

4 à 6 grosses pommes de terre
¼ t. d'échalote française, ciselée
¼ t. de câpres, hachées
¼ t. de ciboulette, ciselée

1 gousse d'ail, hachée
Sel et poivre
1 filet d'huile d'olive
1 t. de fromage à la crème
1 t. de gruyère râpé

PRÉPARATION : Laver et cuire les pommes de terre non pelées dans une grande casserole d'eau bouillante. Les envelopper une à une dans des carrés de feuille d'aluminium et terminer la cuisson au four 15 à 20 minutes à 190 °C/375 °F. Dans un bol, déposer les échalotes, les câpres, la ciboulette et l'ail. Assaisonner et verser un filet d'huile d'olive. Incorporer le fromage à la crème et réserver au four. Au moment de servir, faire une entaille dans les pommes de terre dans le sens de la longueur et les ouvrir suffisamment pour les farcir avec la préparation de fromage. Parsemer chacune de gruyère et placer à *broil* pendant 5 à 6 minutes.

 Un accompagnement agréable avec les poissons gras comme le saumon.

* *Il existe de multiples variétés de pommes de terre, de la plus petite à la plus grosse et ses couleurs passent du bleu au rouge, en passant par le jaune, etc.*

30 min

Pommes de terre paillassons

1 filet d'huile d'olive
2 c. à soupe de beurre
3 grosses pommes de terre, râpées

1 oignon, tranché finement
Sel et poivre

PRÉPARATION : Dans une poêle antiadhésive verser l'huile d'olive et le beurre. Déposer les pommes de terre et les oignons dans la poêle, assaisonner et bien tasser. Ne pas remuer. Laisser une croûte se former dessous. À coloration, retourner comme une omelette et cuire de l'autre côté. Cuire au four 10 à 15 minutes à 190 °C/375 °F. Servir immédiatement.

Un must pour les amateurs de pommes de terre. Toutes les pièces de viande de bœuf en raffoleront.

* On utilise fréquemment la grosse pomme de terre pour la fabrication de produits dérivés comme les chips, les croquettes et les frites surgelées.

Pommes de terre rattes confites

35 min

2 t. de pommes de terre rattes
3 échalotes françaises
1 branche de thym

1 branche de romarin
2 t. de graisse d'oie
Sel et poivre

PRÉPARATION : Cuire les pommes de terre rattes entières, non pelées, dans une casserole d'eau bouillante. Éplucher et diviser les échalotes en 2 puis les ajouter aux pommes de terre. Plonger également les branches de thym et de romarin. Incorporer la graisse d'oie. Laisser mijoter 35 minutes à feu doux. Servir les pommes de terre cuites avec les échalotes. Assaisonner.

Excellent avec de l'aile de raie ou du magret de canard.

* La pomme de terre ratte est dite précoce. On la retrouve sur le marché tôt en saison.

Ragoût de pâtissons aux pommes de terre rouges

RECETTE : Voir page 101.

Velouté de poireau parmentier

RECETTE : Voir page 108.

P-R

Velouté de pommes de terre bleues au gruyère

35 min

4 pommes de terre bleues
2 c. à soupe de beurre
Sel et poivre
1 t. d'eau de cuisson

2 t. de crème à cuisson 15 %
1 gousse d'ail, hachée
½ t. de gruyère râpé

PRÉPARATION : Laver et cuire les pommes de terre avec la peau dans une grande casserole d'eau bouillante. Réserver l'eau de cuisson. Retirer la peau des pommes de terre cuites et les mettre en purée avec le beurre. Assaisonner. Déposer la purée dans une casserole, verser l'eau de cuisson et la crème. Ajouter l'ail et le gruyère. Saler, poivrer. Mixer avec un mélangeur à main jusqu'à l'obtention d'un velouté. Laisser épaissir à feu doux 3 à 5 minutes avant de servir.

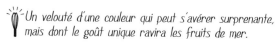
Un velouté d'une couleur qui peut s'avérer surprenante, mais dont le goût unique ravira les fruits de mer.

* Cuire la pomme de terre bleue avec sa peau lui permet de garder tout son éclat.

POTIRON

Beignets de potiron au persil

RECETTE : Voir page 102.

RACINE DE PERSIL

Clafoutis aux racines de persil et persil

RECETTE : Voir page 103.

Croûtons d'échalotes confites aux racines de persil

RECETTE : Voir page 72.

Purée de racines de persil et pois cassés

2 t. de racines de persil, en rondelles
1 c. à soupe de beurre
Sel et poivre
1 t. de pois cassés

½ oignon, haché
1 filet d'huile d'olive
⅓ t. de vin blanc
½ t. de crème 35 %

40min

PRÉPARATION : Cuire les racines de persil dans une casserole d'eau bouillante. Retirer et égoutter. Mettre en purée. Ajouter le beurre. Assaisonner. Cuire les pois cassés dans une casserole d'eau bouillante. Dans une poêle, faire revenir l'oignon dans l'huile d'olive. Incorporer les pois cassés cuits. Déglacer avec le vin blanc. Mixer la préparation et la mélanger à la première purée. Dans une casserole, placer la double préparation. Verser la crème. Laisser mijoter 5 à 10 minutes. Assaisonner.

 Idéal avec les viandes de porc braisées.

* Par sa forme et sa couleur, la racine de persil ressemble beaucoup au panais. Son goût est assez fort et épicé. On l'utilise en purée et parfois infusée dans la préparation de bouillons.

RADIS

Petits radis glacés au miel et citron

2 t. de radis
¼ t. de miel
¼ t. de jus de citron

1 t. d'eau
Sel et poivre

25min

PRÉPARATION : Détacher les petits radis de leurs tiges et les laver. Dans une casserole, déposer les radis avec le miel et le jus de citron. Dès coloration, verser l'eau. Laisser mijoter 5 à 10 minutes à feu doux. Assaisonner.

 Les petits radis remplaceront les petits navets avec les poissons!

* Les radis frais sont croquants. Ne pas les acheter si ce n'est pas le cas.

Râpé de radis noir et noix de coco

½ radis noir
1 t. de crème à cuisson 35 %
½ t. de noix de coco, râpée

1 gousse d'ail, hachée
Sel et poivre

25min

PRÉPARATION : Peler la peau du radis noir et le râper. Dans une casserole, verser la crème avec le radis et la noix de coco râpée. Incorporer l'ail haché et assaisonner. Laisser mijoter 10 à 15 minutes à feu doux. Servir.

 Un accompagnement délicat pour les filets de poisson.

* *La peau du radis noir n'est pas comestible. Il se consomme cru ou cuit.*

RAPINI

Mousse de persil et rapinis

RECETTE : Voir page 103.

Poêlée de rapinis à la méditerranéenne

🕐
25 min

🔥

2 t. de rapinis
½ oignon, ciselé
½ t. de champignons de Paris, émincés
1 filet d'huile d'olive
1 t. de tomates concassées
2 c. à soupe de concentré de tomates

½ t. d'olives noires, dénoyautées
⅓ t. de vin blanc
1 t. d'eau
2 gousses d'ail, hachées
1 c. à soupe de persil, haché
Sel et poivre

PRÉPARATION : Blanchir les rapinis quelques minutes dans une casserole d'eau bouillante. Retirer et égoutter. Couper en gros morceaux. Dans une poêle, faire revenir l'oignon et les champignons dans l'huile d'olive. Incorporer les rapinis. Verser les tomates concassées, le concentré de tomates et les olives. Remuer le tout et déglacer au vin blanc. Ajouter l'eau et incorporer l'ail haché. Faire mijoter 10 minutes à feu moyen et assaisonner. Parsemer de persil au moment de servir.

 Une préparation originale pouvant être servie avec des spaghettis et autres pâtes. Elle ne sera que meilleure avec quelques morceaux de jarret d'agneau braisé ou un dos de saumon rôti.

* *Cuit et refroidi, le rapini est délicieux en salade. À découvrir absolument en risotto pour se sentir transporté en Italie!*

Soufflé de rapinis au gruyère

3 t. de rapinis
1 c. à soupe de beurre
1 filet d'huile d'olive
3 gousses d'ail, hachées
2 échalotes françaises, ciselées

¼ t. de vin blanc
½ t. de crème à cuisson 35 %
5 œufs, blancs et jaunes séparés
Sel et poivre

40 min

PRÉPARATION : Cuire les rapinis dans une casserole d'eau bouillante. Retirer et égoutter. Dans une grande poêle, faire revenir les rapinis cuits dans le beurre et l'huile d'olive. Ajouter l'ail haché et les échalotes. À coloration, déglacer avec le vin blanc et verser la crème. Assaisonner. Laisser mijoter 5 à 10 minutes. Incorporer les jaunes d'œufs à la préparation et battre le tout pour obtenir une préparation bien homogène. Monter les blancs d'œufs en neige à l'aide d'un fouet. Mélanger délicatement au reste de la preparation à l'aide d'une spatule. Verser dans des ramequins individuels. Placer les ramequins dans un plat allant au four contenant de l'eau chaude. Cuire au four au bain-marie 20 à 25 minutes à 190 °C/375 °F.

Le soufflé peut servir d'entrée. Il est également un accompagnement sublime pour les poissons fins tels que la sole.

* Le rapini a la texture de la branche de brocoli et des feuilles d'épinard et un arôme légèrement amer. Ne pas hésiter à le mélanger à un légume plus neutre afin de réduire quelque peu son goût amer.

Romaine juste saisie, pesto de romaine et roquette

RECETTE : Voir page 90.

ROQUETTE

Tartelette de roquette et tomates cœur de bœuf

2 t. de roquette
1 échalote française, ciselée
1 c. à soupe de beurre
1 filet d'huile d'olive
3 œufs

¾ t. de crème à cuisson 35 %
1 pâte feuilletée
1 tomate cœur de bœuf
Sel et poivre
1 t. de gruyère râpé

40 min

PRÉPARATION : Dans une poêle, faire revenir la roquette et l'échalote dans le beurre et l'huile d'olive. Dans un bol, casser et battre les œufs avec la crème. Déposer la pâte feuilletée dans le fond d'un moule à tarte et la piquer à l'aide d'une fourchette sur toute sa surface. Couper la tomate en grosses tranches et les déposer sur la pâte. Ajouter la roquette et verser sur le dessus le mélange œufs/crème. Assaisonner. Parsemer de gruyère. Cuire au four 25 à 30 minutes à 190 °C/375 °F.

Une tartelette à savourer avec la truite. L'accord est également délicieux accompagné de saumon ou tout autre poisson gras.

* La roquette se consomme crue ou cuite. Les jeunes pousses ont un goût de noisette, les plus grosses feuilles sont plus corsées et plus amères. La roquette s'accorde à merveille avec les fruits rôtis au four!

RUTABAGA

Civet de rutabagas aux pruneaux

35 min

1 oignon, ciselé
1 filet d'huile d'olive
1 bulbe de rutabaga, en morceaux
½ t. de bacon, haché
2 t. de pruneaux, dénoyautés

1 ½ t. de vin blanc
1 branche de thym
1 branche de romarin
1 gousse d'ail hachée
Sel et poivre

PRÉPARATION : Dans une poêle, faire revenir l'oignon dans l'huile d'olive. À coloration, ajouter les morceaux de rutabaga avec le bacon, remuer et incorporer les pruneaux. Déglacer avec le vin blanc et incorporer le thym, le romarin et l'ail. Couvrir d'eau et assaisonner. Laisser mijoter 30 minutes à feu moyen. Servir.

Une préparation très goûteuse avec le canard confit ou le gibier.

* Le rutabaga fait partie de ce que l'on appelle la famille des légumes oubliés. Sa redécouverte permet de retrouver ce beau et savoureux produit sur nos tables, été comme hiver.

Crémeux de rutabagas au cumin

30 min

2 rutabagas, en morceaux
1 t. de lait
1 pincée de cumin

2 c. à soupe de beurre
Sel et poivre

PRÉPARATION : Cuire les rutabagas dans une casserole d'eau bouillante. Retirer et égoutter. Mettre en purée et ajouter le lait. Incorporer le beurre et assaisonner. Parfumer avec le cumin.

Une purée délicieuse avec les viandes corsées et les poissons relevés.

* *Ce légume de la famille des navets est souvent utilisé dans les braisés ou les pots-au-feu. Il peut être dégusté cru. Dans ce cas, il dégagera un parfum piquant.*

SALADE FRISÉE

Salade frisée et pleurotes sautés

10 min

2 t. de pleurotes	Sel et poivre
¼ t. d'huile d'olive	1 salade frisée
1 noix de beurre	1 filet de vinaigre
1 c. à soupe de jus de citron	de vin rouge

PRÉPARATION : Dans une poêle, faire revenir les pleurotes dans un filet d'huile d'olive et le beurre jusqu'à coloration. Déglacer avec le jus de citron. Assaisonner. Dans un bol, séparer les feuilles de laitue frisée et les déposer avec les champignons. Confectionner la vinaigrette avec l'huile d'olive et le vinaigre de vin rouge puis assaisonner. Servir.

À découvrir absolument servi avec de fines tranches de magret de canard fumé et accompagné d'un œuf poché.

* *Une salade d'automne par excellence qui aime s'associer avec des aliments chauds : lardons, gésiers, foies de volaille.*

SALICORNE

Salicorne confite

30 min

2 t. de salicorne	1 gousse d'ail, écrasée
1 filet de vinaigre de vin blanc	2 échalotes françaises
	2 t. d'huile d'olive

PRÉPARATION : Dans une casserole, déposer la salicorne préalablement nettoyée à grande eau froide. Verser le vinaigre de vin blanc, l'ail et les échalotes divisées en deux. Laisser mijoter pour que la salicorne se gorge de vinaigre puis recouvrir d'huile d'olive. Confire 25 à 30 minutes à feu doux.

Le goût très iodé de la salicorne apportera une touche de fraîcheur aux fruits de mer et aux préparations de risotto. Intéressant avec les viandes d'agneau.

* Ne jamais saler la salicorne car elle contient suffisamment de sel. Elle se conserve facilement surgelée.

SALSIFIS

Bâtonnets de salsifis braisés au vin blanc

40 min

4 à 6 tiges de salsifis, pelée, en tronçons
3 c. à soupe de beurre
1 filet d'huile d'olive

Jus de 1 citron
¾ t. de vin blanc
Sel et poivre

PRÉPARATION : Dans une grande poêle, faire revenir les salsifis dans le beurre et l'huile d'olive. À coloration, déglacer avec le jus de citron et le vin blanc. Couvrir d'eau et assaisonner. Laisser mijoter 20 à 30 minutes à feu doux.

Les salsifis sont particulièrement aigres-doux une fois cuits. Ils s'accordent très bien avec les poissons et les viandes braisées spécialement celles cuites dans du vin.

* Les salsifis les plus fins seront les plus tendres. Il est toujours préférable de les arroser de jus de citron pour éviter l'oxydation.

SOYA

Mâche aux copeaux de parmesan et soya

RECETTE : Voir page 91.

Rouleaux de printemps de chou de Chine et soya

RECETTE : Voir page 62.

TÊTES DE VIOLON

Beignets de têtes de violon au fromage de chèvre et miel

45 min

3 t. de têtes de violon
½ t. de fromage de chèvre
    frais
¼ t. de miel
1 gousse d'ail, hachée
Sel et poivre
2 jaunes d'œufs

1 t. de lait
1 c. à soupe de poudre à pâte
¾ t. de farine
1 bain d'huile végétale,
    pour friture

PRÉPARATION : Démarrer 2 casseroles d'eau bouillante. Laver à grande eau froide les têtes de violon. Les faire cuire 5 minutes dans la première casserole, les retirer et les refroidir dans de l'eau fraîche. Renouveler la même opération avec la deuxième casserole, cuire 8 minutes et refroidir de nouveau. Retirer et égoutter. Dans un bol, incorporer le fromage de chèvre et le miel. Ajouter l'ail et assaisonner. Remuer le tout et enrober entièrement chaque tête de violon de cette préparation. Réserver au frais. Dans un autre bol, battre les œufs avec le lait. Saler et poivrer. Mélanger la poudre à pâte à la farine et incorporer dans le mélange d'œufs. Remuer. Tremper les têtes de violon au chèvre dans le mélange d'œufs en prenant soin de bien les napper. Dans un bain à friture bien chaud, cuire les beignets jusqu'à coloration. Retirer et égoutter sur un linge absorbant.

Ces beignets ne passeront pas inaperçus comme bouchées apéritives dans un 5 à 7. Succulent produit de saison qui accompagnera superbement les poissons et les viandes.

* Les têtes de violon font partie de la famille des fougères. Il est important de bien les faire dégorger afin qu'elles soient faciles à digérer. On doit également les faire cuire en deux étapes pour s'assurer qu'elles sont bien comestibles.

TOMATE

Civet de petits pois tomatés, carottes et œufs pochés

RECETTE : Voir page 104.

Cocotte de céleri branche, champignons café et tomate

RECETTE : Voir page 49.

Haricots blancs en sauce tomate

RECETTE : Voir page 86.

Tian de légumes

RECETTE : Voir page 35.

TOMATE CERISE

Ravioles de poireau aux tomates cerises et girolles (chanterelles)

RECETTE : Voir page 107.

Salade de haricots coco, cœurs de palmiers et tomates cerises

RECETTE : Voir page 86.

TOMATE GRAPPE

Tatin de tomates grappe confites

25 min

3 tomates grappe
¼ t. d'huile d'olive
1 gousse d'ail, hachée
1 oignon, ciselé

3 c. à soupe de moutarde
Sel et poivre
¾ t. de feuilles de basilic
Pâte feuilletée

PRÉPARATION : Déposer les tomates bien mûres dans un plat à gratin. Verser un filet d'huile d'olive. Ajouter l'ail. Cuire au four environ 15 à 20 minutes à 190 °C/375 °F. Dans une poêle, faire revenir l'oignon dans l'huile d'olive. À coloration, ajouter la moutarde et remuer. Assaisonner. Dans un moule à tarte, étendre les tomates confites. Les recouvrir des feuilles de basilic ainsi que de la compotée d'oignon et moutarde. Recouvrir d'une pâte feuilletée. Cuire au four 20 minutes à 170 °C/325 °F.

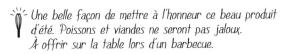 *Une belle façon de mettre à l'honneur ce beau produit d'été. Poissons et viandes ne seront pas jaloux. À offrir sur la table lors d'un barbecue.*

* *La tomate se consomme crue ou cuite, marinée, en jus et même séchée. C'est bien la reine des légumes-fruits !*

TOMATE JAUNE

Gaspacho de tomates jaunes

6 tomates jaunes
2 poivrons rouges, grillés
¼ oignon, ciselé
1 concombre
1 gousse d'ail, hachée

¼ t. de feuilles de basilic
1 filet d'huile d'olive
¼ t. de vinaigre de xérès
Sel et poivre

20 min

PRÉPARATION : Dans un bol, déposer les tomates non pelées et coupées en morceaux. Retirer peau et pépins des poivrons rouges grillés et les incorporer avec l'oignon. Peler le concombre et le couper en morceaux et l'ajouter à la préparation avec l'ail et le basilic. Verser l'huile d'olive, le vinaigre de xérès. Assaisonner. Mixer la préparation à l'aide d'un mélangeur à main. Conserver au froid 20 à 30 minutes avant de servir.

 La pieuvre grillée aimera se baigner dans cette soupe ainsi que les coquilles cuites ou marinées.

* *Le gaspacho ou gazpacho existe dans de nombreuses versions, avec ou sans mie de pain ou concombre. C'est toujours un vrai plaisir de le combiner avec du poisson ou tel quel, froid en été.*

TOMATE ROMAINE

Brouillade à la tomate

3 tomates romaines
1 échalote française, ciselée
1 gousse d'ail, hachée
1 filet d'huile d'olive

6 œufs
Sel et poivre
2 c. à soupe de ciboulette, ciselée

25 min

PRÉPARATION : Laver et couper les tomates bien mûres en mirepoix. Dans une poêle, faire revenir l'échalote et l'ail dans l'huile d'olive. Incorporer les tomates. Laisser mijoter 10 minutes à feu doux. Dans un bol, battre les œufs et assaisonner. Ajouter à la préparation de légumes. À l'aide d'une spatule, remuer en brouillade et terminer en ajoutant la ciboulette

T

 Cette préparation méditerranéenne sera excellente avec les rôtis de viande.

* Il existe une multitude de variétés de tomate. Chacune d'entres elles a son utilisation en cuisine. La romaine est parfaite pour les sauces et les farces, d'autres, de différentes couleurs, sont juteuses à souhait pour les salades.

TOPINAMBOUR

Mousseline de poivrons aux topinambours

RECETTE : Voir page 111.

Purée de fenouil et topinambours

RECETTE : Voir page 80.

Index alphabétique des recettes

V

Lexique culinaire

Battre : Remuer fortement un produit ou une préparation à l'aide d'un fouet de cuisine.

Blanchir : Plonger un aliment dans l'eau bouillante pendant une courte période sans le cuire.

Ciseler : Tailler un aliment en morceaux fins.

Concasser : Hacher grossièrement.

Conserver : Mettre une préparation au frais.

Déglacer : Mouiller légèrement le fond d'une casserole avec de l'eau, du vin ou un autre liquide pour détacher les sucs provenant de la cuisson.

Dégraisser : Retirer la graisse à la surface d'une préparation.

Émincer : Couper un aliment en tranches minces.

Filtrer : Verser la préparation dans une passoire pour séparer les liquides et les solides.

Flamber : Verser un alcool sur l'aliment pour le flamber.

Hacher : Couper en petits ou gros morceaux un aliment à l'aide d'un hachoir ou d'un couteau.

Julienne : Légumes coupés en minces filaments.

Lier : Action d'épaissir une préparation à l'aide de beurre, de crème, ou divers fécules.

Monter : Augmenter le volume d'une préparation en la brassant vigoureusement à l'aide d'un fouet.

Mijoter : Faire cuire un aliment à douce ébullition.

Mixer : Action de broyer un produit ou préparation avec un batteur à mains, une mixette ou un robot culinaire.

Passer la sauce : Verser dans une passoire.

Pocher : Faire cuire un ingrédient dans un liquide à légère ébullition.